Classici dell'Arte

66.

L'opera completa del

Pontormo

Classici dell'Arte

*Biblioteca Universale delle Arti Figurative
diretta da*
ETTORE CAMESASCA

Consulente critico centrale
GIAN ALBERTO DELL'ACQUA

Comitato di consulenza critica
BRUNO MOLAJOLI
CARLO L. RAGGHIANTI
ANDRÉ CHASTEL
JACQUES THUILLIER
DOUGLAS COOPER
DAVID TALBOT RICE
LORENZ EITNER
RUDOLF WITTKOWER
XAVIER DE SALAS
ENRIQUE LAFUENTE FERRARI

Segretaria di redazione
CARLA VIAZZOLI

Redazione e Grafica
EDI BACCHESCHI
TIZIANA FRATI
SERGIO CORADESCHI
FIORELLA MINERVINO
SALVATORE SALMI
SERGIO TRAGNI
ANTONIO OGLIARI
GIANFRANCO CHIMINELLO
MARCELLO ZOFFILI

Segreteria
MARISA DE LUCIA
MARISA CINGOLANI

Consulenza grafica e tecnica
PIERO RAGGI

Stampa e rilegatura a cura di
ALEX CAMBISSA
CARLO PRADA
LUCIO FOSSATI

Colori a cura di
PIETRO VOLONTÈ

Coedizioni estere
FRANCA SIRONI
ENRICO MAYER

Comitato editoriale
ANDREA RIZZOLI
GIANNI FERRAUTO
HENRI FLAMMARION
FRANCIS BOUVET
HARRY N. ABRAMS
MILTON S. FOX
J. Y. A. NOGUER
JOSÉ PARDO
GEORGE WEIDENFELD

L'opera completa del

Pontormo

Introdotta da scritti del pittore e coordinata da
LUCIANO BERTI

Rizzoli Editore • Milano

Scritti del Pontormo

Gli scritti del Pontormo si riducono alla lettera al Varchi del 1548, e al quaderno di *Diario* – annate 1554-56 – ambedue qui presentati, per il *Diario* limitandosi però a una antologia. La lettera era stata pubblicata, con le altre risposte all'inchiesta del Varchi, fin dal 1549 (ed. Torrentino, Firenze). Il *Diario*, che faceva parte dell'eredità dell'artista, passò poi in proprietà Strozzi, e con l'acquisto dei codici della Strozziana (1780) alla Biblioteca Magliabechiana, indi alla Biblioteca Nazionale di Firenze: si tratta di un quaderno di sedici carte, in buona calligrafia e con talora schizzi a lato relativi all'affrescatura del coro di S. Lorenzo. Parte di esso era già stato ricopiato in un codicetto del Seicento, e pubblicato da Gaye; l'originale fu segnalato da Colasanti [1902], riportato nella monografia di Clapp [1916], e poi ritrascritto da Emilio Cecchi [1956].

La lettera costituisce l'intervento del Pontormo nella famosa discussione accademica promossa dal Varchi, su "quale sia più nobile, la Scultura o la Pittura": risposero al quesito, oltre al nostro, il Vasari, il Bronzino, G. B. Del Tasso, F. Sangallo, il Tribolo, il Cellini, e infine lo stesso Michelangelo [Barocchi, *Trattati d'arte del Cinquecento*, I, 1966]. Il Pontormo (che scrive senza la lima del letterato, ma bene e con vivacità) si dimostra molto oggettivo anche verso l'arte plastica, del campo rivale, e del resto riduce subito ambedue le arti alla radice comune essenziale: "una cosa sola c'è che è nobile, che è el suo fondamento: e questo si è el disegno [...] vedetelo che chiunche ha questo fa l'una e l'altra bene". Il disegno, cioè quella ricerca ideativa e formale in cui il Pontormo tanto si arrovellava; una problematica però che, una volta risolta, una volta divenuta saldo possesso qualitativo, gli appare dote primaria che rende secondari gli aspetti materiali e tecnici successivi, pur con tutte le loro diverse difficoltà. Molte e anche ardue quelle dello scultore, riconosce il Pontormo; ma in fondo fatiche più sane che i "fastidi di mente" del pittore, con quella sua ambizione di "imitare tutte le cose", di "migliorare" e di "superare" addirittura la natura. Esponente di un tormentato intellettualismo, di una continua alchimia stilistica, il Pontormo risulta avvertirne dunque anche il prezzo eccessivo ("troppo ardito"), e perfino la vanità; perché mentre la scultura è più durevole – come "panno fine" –, la pittura è come "panno acotonato dello inferno, che dura poco et è di manco spesa [...], ma havendo ogni cosa haver fine, non sono eglino eterne a un modo".

E qui, in questi elementari paragoni, ecco il Pontormo con la sua estrema sobrietà di vita; e in questo giungere inesorabile fino alla nullistica conclusione, ecco quella sua costante angoscia della morte, che egli vede sovrastare, alla distanza, anche sui colossi marmorei. Le differenziazioni di materie e tecniche dunque si annullano, come al principio con il "disegno" (so-stanza puramente intellettuale), così alla estrema fine. E resterebbe il problema di cosa sopravviva dell'arte tanto faticata, problema però dinanzi a cui egli pare eccitarsi ("e' ci sarà che dire in bondato"); ma subito si ferma con una chiusa familiare e scherzosa.

Del *Diario* (o per l'esattezza della parte del *Diario* che ci è pervenuta) il Cecchi – che lo commentò da par suo – scrisse che è "difficile immaginare documento più squallido". Certo è qualcosa di estremamente essenziale, una nota puntigliosa di ciò che passava per l'apparato digerente del Pontormo, un registro scarnissimo dei pezzi che andava affrescando in S. Lorenzo, un distendersi invece insistente sulle proprie sensazioni ipocondriache; dopodiché più raramente popolato da fantasmi umani, tra cui alcuni storici come il Bronzino, il Varchi, il Naldini allievo del Pontormo, il bonificatore Luca Martini, il dotto Borghini, il poeta Strozzi; altri a noi incogniti come Daniello, l'Alessandra, Attaviano. Tuttavia il *Diario* è stato forse letto in passato in chiave un po' forzata, innocente com'è nella sua evidente ma non poi estrema sintomatologia nevrotica, agorafobia, anoressia, nosofobia. Ma non sempre il Pontormo è solitario, chiuso nella sua strana e malinconica casa, nella sua stanza quasi invisitabile ma divenuta famosa a Firenze; e al suo uscio sentiamo bussare inutilmente il Bronzino e gli amici. Non sempre li pianta improvvisamente, o addirittura li fa spazientire ("Bronzino mi voleva a desinare, e turbandosi mi disse: 'e' pare che voi vegnate a casa uno vostro nimico' e lasciòmi ire").

Talora invece va anche a taverne, o a pranzo e cena con loro, si sente bene, gusta il cibo ("certi crespelli mirabili"), sta a guardare "le bagattelle", ed è grato del loro forzarlo ogni tanto alla compagnia ("adì 26 tornando a casa a hore 24 fui sopragiunto da Ataviano, Daniello e l'Alezandra e altre donne, che venivano per me che io andassi a casa Bronzino: andamo e fecesi veghia insino a hore 12"). Si avverte poi come questo terribile solitario sia un uomo sensibile e accusi il dispiacere di qualche alterco ("e la sera feci quistione col fattore, e lui dise che io mi provedesi"), o si offenda quando si senta trascurato dal suo garzone e quasi figlio adottivo Naldini ("Battista si serrò in camera"; "come quello che non è meglio che gl'altri"); o senta il conforto dell'affezione costante del Bronzino.

Tutte quelle minute notazioni del cibo, del tempo e delle lune, dei minimi disturbi, risultano d'altronde in funzione non solo della nevrosi e di quella angoscia della morte di cui il Pontormo soffriva (farsi trovare dagli sbalzi di clima "disordinato d'exercitio, di panni o di coito o di superfluità di mangiare", si ammonisce il Pontormo, "può in pochi giorni spaciarti"); ma anche di una volontà di sentirsi leggero alla tormentosa fatica dell'arte. Una fatica che richiede del resto quella solitudine: "Domenica e lunedì cossi da me un poco di vitella che mi comperò Bastiano e stetti que' duo dì in casa a disegnare, e cenai quelle 3 sere da me solo". Privo assolutamente di vanità mondane (appena due volte e di sfuggita è citato il duca Cosimo che viene a S. Lorenzo, dove il Pontormo dipinge) e di compiacimenti personali, sfornito di quadri affollati d'ambiente, di vivacità di racconto, e invece scarno, essenziale, sincero, questo

Diario ha la facoltà, stranamente, di farci rivivere accanto a chi lo scrisse in quei giorni sulla metà del Cinquecento, sia pure isolati con lui in una severa solitudine. È un documento esistenziale di rara genuinità, una testimonianza storica precisa, antiretorica e antimitica, qualcosa di affatto non paludato eppure estremamente dignitoso; qualcosa che, dicendo infinitamente meno dell'esterno, risulta però complementare – per chi voglia penetrare nel clima degli artisti del Cinquecento – alle grandi cronache fornite da un Cellini o da un Vasari.

Lettera al Varchi

Al molto Mag. e Honorando M. Benedetto Varchi suo Hosservandiss.

El diletto ch'io so che voi, mag. M. Benedetto, pigliate di qualche bella pittura o scultura e inoltre l'amore che voi agli huomini di dette professioni portate, mi fa credere ch'el sottilissimo intelletto vostro si muova a ricercare le nobiltà e ragioni di ciascuna di queste due arti, disputa certo bella e difficilissima e ornamento proprio del vostro sì raro ingegno; et per esser ricerco con tanta benignità da una vostra de' dì passati di dette ragioni, non saperò o poterò forse con parole o enchiostro esprimere interamente le fatiche di chi opera; pure per qualche ragione e essempio semplicemente (senza conclusione non di manco) ve ne dirò quello che mi occorre.

La cosa in sé è tanto difficile che la non si può disputare e manco risolvere, perché una cosa sola c'è che è nobile, che è el suo fondamento: e questo si è el disegno, e tutte quante l'altre ragioni sono debole rispetto a questo (vedetelo che chiunche ha questo fa l'una e l'altra bene); et se tutte l'altre arguitioni sono debole e meschine rispetto a questo, come si può ella disputare con questo solo, se non lassare stare questo da parte, non havendo simile a sé, et produrre altre ragioni più debole senza fine o conclusione? Come dire una figura di scultura, fabricata atorno e da tutte le bande tonda, e finita per tutto con scarpelli e altri strumenti faticosi, ritrovata in certi luoghi da non potere pensare in che modo si possa co' ferri entrarvi o finirvi, essendo pietra o cosa dura, che a fatica alla tenera terra sare' difficile, oltre alle difficultà d'un braccio in aria con qualche cosa in mano, difficile e sottile a condurla che non si rompa, oltre di questo non potere rimediare quando è levato un poco troppo: questo è ben vero – oltre a questo haverla accordata benissimo per un verso et poi per gli altri non ve l'ha a ritrovare, quando per mancamento di pietra in qualche lato, per la difficultà grande ch'è in accordare proportionate tutte le parte insieme a tondo, non potendo ben mai vedere come l'ha a stare, se non fatta che l'è, e se le non sono cose minime, e' non v'à rimedio.

Ma e' non arà fondamento di disegno che incorrerà in errori o inavertenze troppo evidenti, ché le cose minime si possono male fugire nell'una e nell'altra.

Ecci ancora e' varii modi di fare, come di marmo, di bronzo e tante varie sorte di pietra, di stucho, di legno, di terra e molte altre cose, che in tutte bisogna gran praticha oltre alla fatica della persona che non è piccola; ma questa tiene l'uomo più sano e fagli megliore complessione, dove che el pittore è el contrario, male disposto del corpo per le fatiche dell'arte, piutosto fastidi di mente che aumento di vita; troppo ardito e volenteroso di imitare tutte le cose che ha fatto la natura, co' colori,

perché le paino esse (e ancora migliorarle) per fare i sua lavori ricchi e pieni di cose varie, faccendo dove accade, come dire, splendori, notte con fuochi e altri lumi simili, aria, nugoli, paesi lontani e dappresso, casamenti con tante varie osservanze di prospettiva, animali di tante sorti, di tanti vari colori e tante altre cose; che è possibile che in una storia che facci vi s'intervenga ciò che fe' mai la natura, oltre a come io dissi sopra, migliorarle e co' l'arte dare loro grazia e accomodarle e comporle dove le stanno meglio; oltre a questo è vari modi di lavorare, in fresco, a olio, a tempera, a colla, che in tutto bisogna gran prattica a maneggiare tanti vari colori, sapere conoscere i loro effetti, mesticati in tanti vari modi, chiari scuri, ombre e lumi, reflessi, e molte altre appartenenze infinite. Ma quello che io dissi troppo ardito che la importanza si è superare la natura in volere dare spirito a una figura e farla parere viva e farla in piano; che se almeno egli avesse considerato che, quando Dio creò l'huomo, lo fece di rilievo, come cosa più facile a farlo vivo, e' non si harebbe preso uno soggetto sì artifitioso e piutosto miraloloso e divino.

Dico ancora, per gli essempi che se ne può dare, Michelagnolo non haver potuto mostrare la profondità del disegno e la grandezza dell'ingegno suo divino nelle stupende figure di rilievo fatte da lui, ma nelle miracolose opere di tante varie figure e atti begli e scorci di pittura sì; havendo questa sempre più amata come cosa più difficile e più atta allo ingegno suo sopranaturale, non già per questo ei non conosca la sua grandezza e eternità dependere da la scultura, cosa sì degna e sì eterna; ma di questa eternità ne partecipa più le cave de' marmi di Carrara che la virtù dello artefice, perché è in migliore soggetto, e questo soggetto cioè rilievo, appresso di gran maestri è cagione di grandissimi premi e molta fama e altre degnità in ricompenso di sì degna virtù; pensomi dunche che sia come del vestire che questa sia panno fine, perché dura più è di più spesa; e la pittura panno acotonato dello inferno, che dura poco et è di manco spesa, perché levato che gl'ha quello riciolino, non se ne tiene più conto, ma havendo ogni cosa haver fine, non sono eglino eterne a un modo, e ci sarei che dire un bon dato; ma habbiatemi per scusato che non mi dare' il cuore fare scriver più a questa penna altro che la importanza di tutta questa lettera; il che è farvi noto che vi sono ossequente e a' piaceri vostri paratissimo. Sommi aveduto che l'à ripreso vigore e non le basterebbe isto quaderno di fogli, non che tutto questo, perché l'è ora nella beva sua; ma io perché le non vi paressino cerimonie troppo stucchevoli per non vi infastidire non la intignerò più nello inchiostro, pure che la mi serva così tanto che io noti i dì del mese che sono XVIII di febraio [1548]. Vostro Jacomo in casa.

18 febbraio 1548

Passi dal "Diario"

1554

adì 7 in domenica sera di genaio 1554 caddi e percossi la spalla e 'l braccio e stetti male e stetti a casa Br[onzin]o[1] sei dì; poi me ne tornai a casa e stetti male insino a carnovale che fu adì 6 di febraio 1554.

adì 11 di marzo 1554 in domenica mattina desinai con Bronzino pollo e vitella e sentìmi bene (vero è che venendo per me a casa io ero nel letto – era asai ben tardi e levandomi mi sentivo gonfiato e pieno – era asai bel dì). la sera cenai un poco di carne secha arosto che havevo sete e lunedì sera cenai uno cavolo e uno pesce d'uovo.

el martedì sera cenai una meza testa di cavretto e la minestra.

el mercoledì sera l'altra meza fritta e del zibibo uno buon dato e 5 q[uattrin]i di pane e caperi in insalata.

giovedì sera una minestra di buono castrone e insalata di barbe.

giovedì mattina mi venne uno capogirlo che mi durò tucto dì e dapoi sono stato tuctavia maldisposto e del capo debole.

venerdì sera insalata di barbe e dua huova in pesce d'uovo.

sabato D[igiuno]. domenica sera che fu la sera dell'ulivo cenai uno poco di castrone lesso e mangiai uno poco d'insalata, e dovetti mangiare da tre quatrini di pane.

lunedì sera dopo cena mi sentii molto gagliardo e ben disposto: mangiai una insalata di lattuga, una minestrina di buono castrone e 4 q[uattrin]i di pane.

martedì sera mangiai una insalata di lattuga e uno pesce d'uovo.

mercoledì sancto sera 2 q[uattrin]i di mandorle e uno pesce d'uovo e noce e feci quella figura che è sopra la zucha.

giovedì sera una insalata di lattuga e del caviale e uno huovo; venne la D[uchessa] a Sancto Lo[renzo], el duca vene anco.

venerdì sera uno pesce d'uovo, della fava e uno poco di caviale e 4 q[uattrin]i di pane.

sabato sera mangiai dua huova.

domenica che fu la mattina di Pascua e la Donna andai a desinare con Bron[zino] e la sera cenavi.

lunedì sera mangiai una insalata che era di borana e uno mezo limone e 2 huova in pesce d'uovo.

martedì sera ero tucto afiocato e mangiai uno pane di ramerino e uno p[esc]e d'uovo e una insalata e de' fichi sechi.

mercoledì D[igiuno].

giovedì sera uno pane di r[amerin]o, uno p[esc]e d'uno huovo e una insalata e 4 q[uattrin]i di pane in tucto.

venerdì sera insalata, minestra di pisegli e uno pesce d'uovo e 5 q[uattrin]i di pane.

sabato burro, insalata, zuchero e pesce d'uovo.

adì 1 d'aprile domenica desinai con Br[onzin]o e la sera non cenai.

lunedì sera cenai uno pane bollito col burro e uno pesce d'uovo e 2 on[ce] di torta.

martedì
mercoledì
giovedì
venerdì

---

[1] Tra parentesi quadre sono indicate le risoluzioni delle abbreviazioni così come ogni altra interpolazione effettuata nel testo del Pontormo.

sabato andai a la taverna: 'nsalata e pesce d'uovi e cacio e sentìmi bene. [...]

adì 9 di g[i]ugno 1554 cominciò Marco Moro a murare el coro e turare in Sancto Lorenzo.

adì 18, la sera di sancto Luca, cominciai a dormire già col coltrone nuovo.

adì 19 d'ottobre mi sentivo male cioè infredato e dipoi non potevo riavere lo spurgho, e con gran fatica durò parecchie sere uscire di quella cosa soda della gola, come alle volte io ho hauto di state; non so s'è stato per essere durato un buon dato bellissimi tempi e mangiato tuttavia bene. e adì detto cominciai a riguardarmi un poco e duròmi 3 dì 30 once di pane, cioè 10 once a pasto, cioè una volta el dì e con poco bere: e prima adì 16 di detto imbottai barili 6 di vino da Radda. [...]

1555

genaio, marte[dì] che fu kalendi cenai con Bronz[in]o on[ce] 10 di pane.

mercole cenai on[ce] 14 di pane, arista, una insalata d'indivia e cacio e fichi sechi.

giovedì cenai on[ce] 15 di pane.

venerdì on[ce] 14 di pane.

sabato non cenai.

domenica matina desinai e cenai con Bron[zin]o migl[i]aci e fegategli. el porco. [...]

domenica desinai e cenai in casa Br[onzin]o, adì 13 di genaio 1555.

lunedì andai a San Miniato, cenai uno rochio di salsicia, on[ce] 10 di pane.

martedì uno lombo, indivia e una libra di pane, gelatina e fichi sechi e cacio.

adì 20 cenai in casa Daniello una gallina d'India, che v'era Attaviano che fu in domenica sera.

adì 27 genaio desinai e cenai in casa B[ronzin]o, e venevi dopo desinare l'Alesandra e stette insino a sera e poi se n'andò, e fu quella sera che B[ronzin]o e io venimo a casa a vedere el Petrarcha. cioè fianchi, stomachi ec. e pagai quello che s'era g[i]ucato.

adì 30 di genaio 1555 comincia[i] q[u]elle rene di quella figura che piagne quello bambino.

adì 31 feci quel poco del panno che la cigne, che fu cattivo tempo e emi doluto quei 2 dì lo stomaco e le budella – la luna à fatto la prima quarta.

adì 2 di febraio in sabato sera e venerdì mangiai uno cavolo e tucta due quelle sere cenai on[ce] 16 di pane, e per non havere patito fredo a lavorare non m'è forse doluto el corpo e lo stomaco – el tempo è molle e piovoso.

adì 1 di febraio feci dal panno in giù e adì 5 la finii, e adì 16 feci quelle gambe di quello bambino che l'è sotto, che fu in sabato; el venerdì cominciò a essere bel tempo e così el sabato detto è freddo e prima era durato a piovere tuctavia senza punto di fredo; e adì 21 che fu berlingaccio cenai con Bronzino la lepre e veddi le bagattelle e la sera di carnovale vi cenai. [...]

adì 4 di marzo feci quel torso che è sotto a quella testa detta e levami una hora inanzi dì.

domenica fumo adì 10 detto: desinai con Br[onzin]o e la sera a hore 23 cenamo quello pesce grosso e parechi picholi fritti che spesi soldi 12, che v'era Attaviano; e la sera cominciò el tempo a guastarsi ch'era durato parecchi dì bello senza piovere.

e lunedì feci quello braccio di quella figura di testa che alza e lasciàla insino quivi come monstra questo scizo.

martedì e mercoledì feci quel vechio e 'l bracci[o] suo che sta così.

adì 15 di marzo cominciai quello braccio che tiene la coregia, che fu in venerdì, e la sera cenai uno pesce d'uovo, cacio, fichi e noce e on[ce] 11 di pane.

mercoledì adì 20 fornii el braccio di venerdì e lunedì; inanzi havevo fatto quello busto e 'l martedì feci la testa di quello braccio che io dico. giovedì mattina mi levai a buon'ora e vidi sì mal tempo e vento e fredo che io non lavorai e mi stetti in casa. venerdì feci quello altro braccio che sta atraverso; e sabato un poco di campo azurro che fumo adì 23 e la sera cenai 11 on[ce] di pane, dua huova e spinaci.

lunedì adì 25 che fu la Donna desinai con Br[onzin]o e la sera cenai in casa mia uno pesce d'uovo.

martedì feci quella testa del putto che china e cenai on[ce] 10 di pane e ebi uno sonetto dal Varchi.

mercoledì feci quello resto del putto e ebi disagio a quello stare chinato tucto dì, di modo che mi dolse giovedì le rene; e venerdì oltre al dolermi ebi mala dispositione e non mi sentii bene e la sera non cenai e la mattina, che fumo adì 29 1555, feci la mano e mezo el braccio di quella figura grande, el ginochio con uno pezo di gamba dove e' posa la mano, che fu el venerdì detto e la detta sera non cenai e stetti. D[igiuno] insin al sabato sera e mangiai 10 on[ce] di pane e dua huova e una insalata di fiori di borana.

[31] di marzo la domenica mattina desinai in casa Daniello pesce e castrone, e la sera non cenai, e lunedì mattina mi si smosse el corpo con dolore: levàmi e poi per essere fredo e vento ritornai nel leto e stettivi insino a hore 18, e in tucto dì poi non mi sentii bene; pure la sera cenai un poco di gota lessa con delle bietole e burro, e sto così senza sapere quello che à essere di me. penso che mi nocessi assai quello ritornare nel letto: pure ora che sono hore 4 mi pare stare asai bene.

adì 3 d'aprile feci quella gamba dal ginocchio in giù, con gran fatica di buio e di vento e d'intonico; e la sera cenai on[ce] 14 di pane, radichio e huova.

giovedì cenai on[ce] 10 di pane, dua huova afrettelate, radichio.

venerdì cominciai una hora inanzi dì quelle schiene che sono sotto a quella. cenai una libra di pane, sparagi e huova e fu uno bello dì.

sabato cenai.

domenica che fu l'ulivo desinai in casa Br[onzin]o certi crespelli mirabili. [...]

sabato lavorai quel masso e venne el duca a Sancto Lorenzo cioè a l'uficio. la sera poi non cenai.

Pasqua domenica fu uno gran fredo e gran vento e aqua; desinai con Br[onzin]o on[ce] 6 di pane e la sera non cenai. [...]

venerdì feci la testa con quel masso che l'è sotto, cenai on[ce] 9 di pane, uno pesce d'uovo e una insalata, e ho el capo che mi gira un buon dato.

sabato feci broncone e masso e la mano, e cenai on[ce] 10 di pane.

domenica cenai on[ce] 10 di pane, e stetti tucto el dì stracho, debole e fastidioso – fu bellissimo dì e fé la luna.

lunedì adì 22 d'aprile stetti bene – ogni male era ito via –

mangiai on[ce] 8 di pane: non havevo più capogirli e non ero debole, e ho buona speranza. [...]

mercoledì [8 maggio] morì el Tasso; e giovedì la finii e la sera andai a cena con Daniello: cavreto arosto e pesce. [...]

sabato sera cenai con Piero pesce d'Arno, ricotta, huova e carciofi, e mangiai troppo e maxime della ricotta; e la mattina desinai con Br[onzin]o e la sera non cenai, che fu la ventura mia che havevo mangiato tropo. [...]

13 martedì cominciai a fare quel torso che tiene el capo alongiù, così; cenai una insalata e uno pesce d'uovo; on[ce] 10 di pane.

mercoledì ebi uno intonico sì faticoso che io non penso che gl[i] abia a far bene, che sono tucte le poppe come si vede la comettitura, e cenai huova e on[ce] 10 di pane.

giovedì feci uno braccio.

venerdì l'altro braccio.

sabato quella coscia di quella figura che sta così. [...]

martedì [25 giugno] si disfece el ponte, mercoledì si rimurò le buche; giovedì feci quel che va insino al co[...].

sabato fu san Piero.

domenica desinai con Daniello che fu uno gran caldo: eravi Bronz[in]o e la sera cenai con Piero.

giovedì adì 4 di lugl[i]o cominciai quella figura che sta così.

e la sera stetti a disagio aspettare la carne che Batista era zoppo, e è la prima vol[ta] che gl'[i] à 'bergato fuora, e quando suo padre stava male non vi stava e questo è che gl'à hauto el letto da dormire dal Rotella.

venerdì – sabato feci insino a le gambe; la domenica desinai con Bronz[in]o.

adì 8 lunedì feci non so che lettere e cominciomi l'uscita.

martedì feci una coscia, crebemi l'uscita con dimolta colera sanguigna e biancha. mercoledì stetti pegio che forse 10 volte o più; che a ogni hora bisognava, talché io mi stetti in casa e cenai un poco di minestraccia. el mio Batista andò di fuora la sera e sapeva che io mi sentivo male e non tornò, talché io la vo' tenere a mente sempre.

giovedì feci quella altra gamba e delle indispositioni del corpo sto un poco megl[i]o che sono 4 volte; ho cenato in Sancto L[orenz]o e beuto un poco di greco. non che mi paia stare bene, perché ogni tre hore mi viene lo strugimento.

adì 12 venerdì sera cenai con Piero e credo sia passata l'uscita, cioè quei dolori. [...]

adì 16 martedì cominciai quella figura e la sera cenai un poco di carnaccia, che mi fece poco pro, che Batista disse che io mi provedessi perché era stato gridato da' Nocenti.

mercoledì mangiai dua huova nel tegame.

giovedì mattina cacai dua stronzoli non liquidi, e dentro n'usciva che se fussino lucignoli lunghi di bambagia, cioè grasso biancho; e asai bene cenai in San L[orenz]o un poco di lesso asai buono e finii la figura.

venerdì pesce e uno huovo.

sabato Batista è venuto per tucti e' colori macinati e penegli e olio; e la sera cenai dua huova, pere e una mezeta di vino, uve e cacio. [...]

30 martedì cominciai la figura.

mercoledì insino a la gamba.

adì primo d'agosto giovedì feci la gamba, e la sera cenai con Piero un paio di pipioni lessi.

venerdì feci el braccio che s'apogia.

sabato quella testa de la figura che l'è sotto che sta così.

domenica cenai in casa Daniello con Bron[zino] che fu alle polpette. [...]

domenica mattina stetti, subito levato che io fui e vestito, ne l'orto che era fresco un buon dato, a vedere certi disegni che me mostrò Fuscellino; e patii fredo e non so perché mi si sdegnò lo stomaco. la sera cenai con Bro[nzin]o popone e uno pipione, e la matti[na] dipoi mi sentivo male e parevami aver la febre.

lunedì matti[na] havevo e febre e lo stomaco sdegnato; cenai che non mi piacque nulla: nel vino mangiai on[ce] 7 di pane, carne e poca, e poco bere, on[cia] una di mandor[le].

martedì sera una curatella, una pesca, on[ce] 12 di pane e ò miglior gusto e cominciai la testa di quella figura che sta così.

mercoledì el braccio.

[1]5 giovedì.

venerdì el corpo.

sabato le cosce.

domenica

lunedì martedì cominciai quelle rene sotto alla testa.

mercoledì la finii. [...]

lunedì [20 ottobre] martedì mercoledì giovedì venerdì lavorai sotto a detta figura disegnata insino al cornicione. sabato ordinai el cartone che gli va a lato. cenai uno cavolo buono cotto di mia mano e la notte mi levai una scegia d'un dente e mangio un poco megl[i]o.

Domenica e lunedì cossi da me un poco di vitella che mi comperò Ba[stian]o e stetti que' duo dì in casa a disegnare, e cenai quelle 3 sere da me solo. [...]

adì 19 [novembre] lavorai que' 2 testi di morti che sono sotto al culo di colei.

adì 20 si bollì il bucato.

adì 24 desinai con Br[onzin]o, che v'era la madre de la Maria che mi promise uno pane di ramerino bello. [...]

domenica adì 22 [dicembre] desinai con Br[onzin]o; e prima adì 20, che fu el venerdì delle dig[i]une, cominciò el tempo a rischiarare con vento buono e aconciarsi, e è durato otto dì interi; e prima era stato un mese tuctavia o poco o asai ogni dì a piovere con certo ingrossamento d'usci e d'umido di mura quanto io mi ricordi è gran pezo, talché gl[i] à generato a questo bel tempo scese rovino[se] che presto amazano: di sorte che se ti trova disordinato d'exercitio, di panni o di coito o di superfluità di mangiare, può in pochi giorni spaciarti o farti male; però è da usare la prudentia, g[i]ugno, lugl[i]o e agosto e mezo settembre, de' sudori temperati e sopra tucto al vento, quando hai fatto exercitio, hai havere cura e ancora del mangiare e bere, quando se' caldo. dipoi ti prepara da mezo settembre in là allo autunno, che per essere e' dì picoli, el tempo cominciare humido e l'umidità del bere superfluo che hai fatto nella state, ti bisogna con dig[i]uni e poco bere e lunghe vigilie e exercitio prepararti che e' fredi del verno non ti nuochino, non ti trovando bene disposto; e non frequentare tropo la carne e maxime del porcho; e da mezo genaio in là non ne mangiare, perché è molto febricosa e cattiva; e vivi d'ogni cosa temperato, perché le sachate degl'omori e delle scese si scuoprano al febraio, al marzo e allo aprile, perché nel verno el fredo gli congela; e abi cura che alle volte, secondo chome achade nella luna essere uno fredo e poi subito inhumidire ogni cosa congelata, e di qui nasce scese molto rovinose e gociole o altri mali pericolosi. che tucto procede quando è que' fredi mangiato e beuto superfluo, perché el fredo te lo comporta e rapigl[i]a, ma subito al tempo dolcie e humido lo riscalda e ricresce e rigonfia; e però

chome io dissi di sopra nel principio, quando se' a questo modo carico, habi cura allo exercitio del rafreddare, perché uccide o subito o in pochi giorni; siché se hai humori superflui acquistati la vernata, tieni l'ordine che io dissi di sopra, e sopra tucto sta in cervello el marzo e maxime nella sua luna, 10 dì prima e 10 poi, cioè al cominciare della luna nuova di marzo e sia insino a passata la quinta decima, ché tucte le lune che s'empiono sono nocive se uno è ripieno e importa riguardarsi prima. [...]

ne l'anno 1555, per la luna che cominciò di marzo e durò insino al dì 21 d'aprile, in tucto quella luna naque infermità pestifere che amazorno dimolti huomini regolati e buoni e forse senza disordini, e a tucti si cavava sangue. credo che gl'avenissi che el fredo non fu di genaio e sfogossi in questa luna di marzo, che si sentiva uno fredo velenoso sordo combattere con l'aria rinfocolata da la stagione de' giorni grandi, che era come sentire frigere el fuoco ne l'aqua, tal che io sono stato con gran paura. el vantagio è stare preparato innanzi che entri la luna di marzo, che la ti truovi sobrio di cibo, d'exercitio e con gran riguardo del sudare; e non si sbigottire che passata che l'è di pochi giorni, l'uomo non sa chome la si stia o donde si vengha, che di mal disposto subito l'uomo si sente bene; come interviene a me ogi, questo dì 22 d'aprile del primo giorno della luna nuova, sentirmi bene e per adreto mai essermi mai sentito bene. tucto dee procedere da uno certo fredo che non era ancora smaltito e havea durato insino adì 21; ma ogi, questo dì sopra detto, m'è fatto caldo e sentomi bene, perché el tempo ha forse la stagione sua. [...]

adì 26 [dicembre] andammo a San Francesco e tornamo a desinare che v'era l'Alexandra con mona Lucretia e stemovi la sera e tornamo tucti a le 6 hore.

adì 27 andamo Br[onzin]o e io a Monte Oliveto e stemo tucta mattina con Giovan Batista Strozi. tornamo tardi e io stetti insino a la sera digiuno e cenai in casa mia.

adì 28 andamo a col San Miniato e desinamo a l'oste e spendemo s[oldi] 20 per uno – eravamo 5 – e la sera non cenai.

adì 29 domenica mattina andamo insino a San Domenico, tornamo tardi in modo che io non volli desinare e 'ndugiai a la sera in casa Daniello. [...]

1556

giovedì sera cenai col priore de' Nocenti, lui e io soli a gelatina e huova.

venerdì adì 10 [gennaio] a hore 24 uno carro mi strinse le ginochia rasente uno muriciuolo; e Ba[stian]o venne a casa per havere danari da Lattanzio.

sabato ebe [scudi] dua e portogli a' frati per la pigione.

domenica piovve e fu gran vento e freddo tucto el dì e io cominciai a mangiare su da me uno pezo d'arista; e così martedì vene a botega del Gello; mercoledì adì 15 sera, Bron[zino] venne a casa per me con Ottaviano perché io andassi a cena seco; e io da lo spetiale del capello lo lasai e non mi rivedé. [...]

la mattina da san Piero e la sera al tardi Br[onzin]o e Ataviano passorno – e fu aperto loro l'uscio dal fattore – senza fermarsi; solo disse – che di' Jacopo –. poi in su le 2 hore Ataviano venne a pichiare, domandando di me, dicendo che l'Alesandra mi voleva – dice el fattore.

[a]dì 20 [...][1] Ba[stian]o. lunedì piovve tucto el dì: scosse

---

[1] Lacuna nel testo.

rovinose e gran tuoni e baleni e la sera cenai uno resto d'intingolo e d'arista avanzata di giovedì, borana cotta, on[ce] 9 di pane e on[ce] 4 di pane di ramerino. [...]

adì 26 tornando a casa a hore 24 fui soprag[i]unto da Ataviano, Daniello e l'Alezandra e altre donne, che venivano per me che io andassi a casa Br[onzin]o: andamo e fecesi veghia insino a hore 12. [...]

lunedì sera in casa Daniello, che s'andò a vedere la comedia in via magio.

martedì fu uno gran fredo e nevicò la nocte e io cenai uno cavolo in casa mia.

mercoledì.

adì 20 giovedì feci quella testa che grida e cenai vitella e 'nsino in 29 lasc[i]ai finito tucto insino in terra quel ch'è sotto a detta testa.

marzo adì 3 feci la testa di quella figura disegnata qui.

adì 4 di marzo feci uno pezo di torso insino a le pope e patii fredo e vento tale che la nocte io afiocai e l'altro dì poi non potei lavorare.

adì 6 feci tucto el torso.

adì 7 fornii le gambe.

adì 8 andai a vedere uno Hercole con el Rotella.

lunedì 9 feci una testa sottole.

martedì andai a vedere la tavola di Br[onzin]o cioè quello San Bartolomeo.

mercoledì una testa sottole.

giovedì levai le bullette che erano confitte lasù alto.

venerdì una testa sottole.

sabato 14 intonicai da me una testa; ebi della pigione lire 4: la sera andai a vedere quella testa di Sandrino che m'aperse l'Alesandra che se n'andò via, e in tal sera cenai con Piero che v'era.

15 domenica fu pichiato da Br[onzin]o e poi el dì da Daniello; non so quello che si volessino.

18 feci quello intonaco di macigno sotto a le finestre.

giovedì 19 riscontrai Daniello e Attaviano che mi volevano dare desinare e poi scontrai Br[onzin]o da San Lorenzo, che mandava la sua tavola a Pisa.

venerdì

sabato

domenica venne Br[onzin]o, Daniello e Ataviano a casa, e io comperai canne e salci per l'orto; e Br[onzin]o mi voleva a desinare, e turbandosi mi disse : – e' pare che voi vegnate a casa uno vostro nimico – e lasciòmi ire.

e lunedì sera cenai in casa Daniello uno capretto di s[oldi] 34 molto buono che v'era Br[onzin]o, Sandrino e G[i]ulio e io, e in tal dì l'Alesandra si rupe el capo con certi embrici. [...]

lunedì feci la testa di quel putto.

martedì feci in casa non so che.

adì primo d'aprile mercoledì feci questa altra coscia con tucta la gamba e 'l piè.

giovedì sancto.

venerdì mi levai a buon'ora e feci quel torso di bambino.

giovedì feci le gambe – adì 9.

venerdì uno campo azurro e andai a cena con Piero.

sabato feci sotto a le finestre di verso la S[acrestia] vechia quella pietra intorno a quella figura che v'era; e mandai gli sparagi e non vi cenai a casa Piero.

domenica ebi uno berlingozo da mona Ugenia e andai a cena con Br[onzin]o.

lunedì lavorai quelgli docioni sotto a le finestre.

Pier Francesco. martedì mercoledì s'asettò el palco da poter lavorare. [...]

domenica 21 [giugno] fui trovato da Br[onzin]o in Sancta Maria del Fiore, e promessi d'andare a desinare seco, che havevano poi a ire a vedere el toro, e la sera ero rimasto di cenarvi, e mandai per uno fiasco di vino a Piero che v'era l'Alessandra e tornamocene insieme; dispiaquemi un buon dato la cena tale che io stetti dig[i]uno insino a martedì sera, che bevi di quel trebiano ch'è di Vinegia e 2 huova, e avevo fatto amazare quello galletto che si gittò via.

[a]dì 24 mercoledì sera cenai con Daniello che v'era el Marignolle e B[ronzin]o.

giovedì feci quelle 2 teste segnate di sopra e fu uno tempo e di piovere e di tuoni e di fredo straordinario.

venerdì si rimurò tucte quelle buche di sul coro di quella prima stor[ia].

sabato feci quelle dua braccia e non cenai. [...]

lunedì feci q[u]ella teretta. martedì quell'altra teretta.

adì primo di lugl[i]o mercoledì, giovedì, venerdì, sabato la sera non cenai, disegnai.

5 domenica desinai con Br[onzin]o, che fu quella mattina che io lo trovai da Sancta Maria del Fiore, che era con Ataviano e parlava con messer Lorenzo Pucci, che ero aviato comperare la lattuga pratese, e la sera cenavi, che fu quando io mandai a Piero per el vino a s[oldi] 9. [...]

adì 27 [agosto] detto portai el cartone del Sancto Lorenzo e apicossi da poter lavorare. [...]

adì 26 [settembre] in sabato sera andamo alla taverna Attaviano e Bronz[in]o e io: cenamo pesci e huova e vino vechio e tochò s[oldi] 17 per uno.

domenica desinai con Br[onzin]o e la sera vi cenai che v'era Attaviano.

lunedì in casa.

martedì che fu sancto Michele vi desinai e la sera vi cenai che c'era venuto Luca Martini. mercoledì a casa.

giovedì sera vi cenai che v'era el Varchi e messer Luca e la mattin[a] se n'andò a Pisa che fu in venerdì.

sabato piovve tucta nocte e mezo el dì e desinai zuche fritte con Br[onzin]o e recàne uno fi[a]scho di colore.

4 domenica andai a San Francesco e stetti tucto el dì. tornai e cenai uno lesso di castrone e ebi uno fiasco di vino vechio dal busino.

lunedì feci quel capo di quel bambino in capegli. cenai 2 ucellini.

martedì mi levai una hora inanzi dì e feci quel torso del putto che ha el calice; e la sera cenai castrone buono, ma io ho male alla gola cioè non posso sputare una cosa apicata che io sogl[i]o avere.

adì 11 domenica andai a Certosa e la sera cenai. [...]

lunedì che fu la vi[gi]lia della Pasqua [si tratta, in realtà, del Natale] cenai in casa Bronz[in]o, e insino a la sera stetti e cenai seco una acegia; la seconda festa, la mattina e la sera, mangiai quivi; e la sera di sancto Giovanni cenai con Daniello bene di quegli farcigl[i]oni e on[ce] 8 di pane.

venerdì e sabato mangiai in casa on[ce] 30 di pane, huova, burro e altre cose.

domenica sera cenai porco arosto e on[ce] 16 di pane.

lunedì una insalata di borana e uno pesce d'uovo e on[ce] 13 di pane.

Pontormo *Itinerario di un'avventura critica*

La critica sul Pontormo può essere distinta in tre periodi: il primo, dello stesso secolo dell'artista; il secondo, che da lui giunge all'inizio del Novecento; e l'ultimo, nostro contemporaneo. In *Fortuna del Pontormo* ["Quaderni pontormeschi" 1957], chi scrive ha esaminato i primi due tempi, notando anzitutto l'alta considerazione (non sempre identificabile con notorietà e successo) che l'artista ebbe nella Firenze cinquecentesca, nonostante il carattere così asocievole, e la difficoltà della sua arte sempre imprevedibile, disorientante e di uno sperimentalismo spesso controcorrente. La biografia del Vasari [1568], una delle più belle e bene informate dello storico aretino, muove appunto da questa grande stima come dal fatto che, variando sempre Pontormo, variavano pure le reazioni alla sua dinamica pittura; e giuoca pertanto di continuo chiaroscuro, loda e critica, critica ma riconosce, con una implacabile ma anche onesta oggettività, con un tono di buonsenso che in definitiva, nonostante certi errori e limitazioni visuali del Vasari, riesce fondato. Naturalmente, egli apprezza soprattutto il primo periodo del Pontormo, prossimo ad Andrea del Sarto e classicistico, fino al '20; non afferra troppo, per la verità, la bellezza dell'affresco di Poggio a Caiano, e polemizza contro il dürerismo alla certosa, ma salvando la *Cena in Emmaus* per il suo realismo ("senza punto affaticare o sforzare la natura"); è invece incomprensivo verso capolavori quali la *Deposizione* e l'*Annunciazione* di S. Felicita; ritorna ad approvare pienamente il primo momento michelangiolesco dopo l'assedio, quando invece l'ombra un po' tetra di Michelangelo viene a velare la lunatica luminosità del miglior Pontormo; reagisce infine, e si può comprenderlo, quando l'ultimo Pontormo si inoltra in tentativi sempre più forzati e involuti, nelle ville medicee e nel coro di S. Lorenzo. Se il *Riposo* del Borghini [1584] segue il Vasari, però nel Bocchi [1591] troviamo vari apprezzamenti molto positivi anche per il criticato coro di S. Lorenzo, di cui del resto il *Diario* contemporaneo del Lapini attesta come all'atto della scoperta (1558) "a chi piacque, a chi no". Comunque il Pontormo da vivo godette di un grande prestigio; caratteri imperiosi come il duca Alessandro e Cosimo I de' Medici mostrarono una grande pazienza con lui e gli affidarono incarichi importanti (basti pensare appunto all'affrescatura del coro di S. Lorenzo, la prediletta chiesa medicea);

pittori di generazione successiva, come Maso da S. Friano, l'Empoli, il Cigoli, lo studiarono da giovani con entusiasmo ("e piacendogli molto le cose di Iacopo da Puntormo di quelle assai disegnava", scrive dello zio il nipote del Cigoli).

Per un lungo periodo successivo si seguì però la falsariga vasariana, tranne alcune rare seppur significative varianti. Al Bottari [1730], per esempio, l'Angelo di S. Felicita piaceva: "è così grazioso, quanto se fosse del Parmigianino"; e del resto, nel *Ristretto* del Carlieri [1689], la *Deposizione* di S. Felicita appare "in molta stima". L'abate Lanzi [1789], pur riconoscendo l'"ingegno rarissimo", non risulta molto perspicace nel delineare il Pontormo, di cui distinse tre maniere, una delle quali, "di buon disegno, ma di colorito piuttosto languido, e questa servì di esempio al Bronzino e ad altri dell'epoca susseguente", deve corrispondere allo stile della cappella Capponi, e cioè al Pontormo più colorista, almeno per noi. Il focoso Milizia [1797], dal canto suo, gli dedicò alcune righe stupidamente sarcastiche. Stendhal, nel 1817, assegnò invece al Pontormo la non disonorevole classifica di quarto nella scuola fiorentina assieme al Bronzino, Rosso e Cigoli (secondi, dopo i primi assoluti Leonardo e Michelangelo, sono fra' Bartolomeo e il Sarto; terzo Daniele da Volterra).

Gli inizi della critica moderna comportano un primo soffio di novità, ma ancora con gravame di pregiudizi. Burckhardt [1855] loda i ritratti, però parla di "primo manierismo" per le opere tarde (come i dipinti di S. Felicita), "data l'ingiustificata abbondanza di forme effettivamente o presuntivamente belle". Il Cavalcaselle [1866] si intesta a considerare il Pontormo addirittura un pittoraccio, sì da riferirgli varie volte, proprio per la cattiva qualità, scadenti lavori della scuola di Andrea del Sarto; Wölfflin [1898] ammira la *Visitazione*, ma lo giudica "artista di second'ordine". Però Berenson, fin dalle sue prime righe [1896], parte recuperando a modo suo il chiaroscuro del Vasari, cioè intuendo un "decoratore e ritrattista di specie solenne", che però purtroppo, portato dall'ammirazione per Michelangelo, "degenerò in un accademico fabbricatore di nudi mostruosi".

Il Grassi ["Emporium" 1946] ha esaminato poi la critica di questo secolo, almeno fino alla data del suo scritto. Da un lato – possiamo sintetizzare – essa ha svolto, sul Pontormo, delle ricognizioni filologiche esaurienti, come quella

del Berenson sui disegni, le basilari monografie di Clapp sui disegni e sulle pitture [1914 e 1916], alcuni contributi del Gamba, la rassegna di A. Venturi nella sua *Storia* [1932], la "Mostra del Pontormo e del primo manierismo fiorentino" tenutasi a Firenze nel centenario del 1956, la nuova accuratissima monografia sui disegni della Cox Rearick [1964], le monografie più recenti di Berti [1964] e Forster [1966]. Dall'altro lato, il Pontormo è stato inquadrato in prospettive storiche più ampie, in rapporto all'indagine sulle origini e sui caratteri del manierismo. Così in Goldschmidt fin dal 1911, per il nuovo tipo di costruzione spaziale (basata non più sulla prospettiva architettonica, ma sulle figure e i loro rapporti); in Friedländer [1925], che lo vedeva quale esponente di anticlassicismo, cioè di soggettivismo e di gotico; nel Tinti [1925], che lo definiva, altrimenti, "romantico"; mentre Steinbart [1939] ritornava sul Pontormo "gotico" che si volgeva al "dinamismo nordico" in opposizione al mondo classico "mediterraneo". Passata la guerra (causata magari da un analogo "dinamismo nordico"), il concetto di dinamico viene invece collegato dalla Becherucci [1944 e 1958] al classicismo stesso, ad una forma ricercata che "non era qualcosa di invariabile e statico, ma il principio dinamico dell'incessante divenire dell'esistenza"; mentre altri come il Briganti [1945 e 1961] puntualizzava le due fasi del manierismo, la prima quale "comune estrosa inquietezza anticlassica", convertitasi poi in una seconda di "estesa convenzione espressiva": dove il Pontormo si colloca appunto in quella anteriore e più attiva. Le remore contro i nordicismi o le deformazioni del michelangiolismo del Pontormo sono comunque a questo punto tutte ormai cadute, passandosi a una comprensività piena che supera quella del pur manierista Vasari. Un'analisi stilistico-cronologica accuratissima di quella fenomenologia, che progressivamente svuotò il classico, lo contraddisse, e pervenne a instaurare il manierismo, è stata condotta anche per il Pontormo da Freedberg [1961], a cui si ispira la Cox Rearick. Invece la Nicco Fasola [1947] partiva con una tesi antimanieristica, vedendo nell'artista e nella sua "inquietudine" possibilità antiretoriche, spirituali, populiste (si veda la *Cena in Emmaus*). In questo versante anche sociologico, mentre Tolnay [1950] e Forster [1966] si richiamano a Valdès, cioè a una ispirazione parariformista come quella di Michelangelo, il Berti [1964] affaccia il problema di un lato rapporto anche diretto fra primo manierismo e Riforma, in effetti cronologicamente contemporanei, come suggestione almeno vaga sul Pontormo e sul Rosso dalla contestazione nordica (religiosa, ma anche culturale, anticiceroniana, antiromana) scatenatasi sul finire del secondo decennio del secolo. Senza particolari novità, d'altra parte, la configurazione pur sottile del Pontormo fatta da Hauser nel suo *Manierismo* [1964].

Né creda niuno che Iacopo sia da biasimare, perché egli imitasse Alberto Duro nell'invenzioni, perciocché questo non è errore, e l'hanno fatto e fanno continuamente molti pittori: ma perché egli tolse la maniera stietta tedesca in ogni cosa, ne' panni, nell'aria delle teste e l'attitudini; il che doveva fuggire, e servirsi solo dell'invenzioni, avendo egli interamente con grazia e bellezza la maniera moderna.

G. VASARI, *Le vite*, 1568[2]

[...] in somma è questa pittura [coro di S. Lorenzo] di Giacopo mirabile per colorito, nobile per disegno, et rarissima per rilievo; et se a queste doti, onde divengono le figure oltra l'altre maravigliose, fosse aggiunta l'ottima imitazione, sarebbe l'opera di vero senza pari. Perché esser non puote, mentre chi si mira quello, che è dipinto, attentamente, che si accordi l'animo, che così sia verisimile, che passi la bisogna del fatto; la qual cosa concepita nel pensiero, cade poscia il tutto dal vero, e riputato vano, si tiene a vile, et a nessun modo si apprezza. Et certamente se havesse imitato in guisa conforme al verisimile, leggendo nelle Sacre lettere, e recandosi nella mente, come poté di vero il fatto avvenire, sì come di Andrea del Sarto si è detto, havrebbe Giacopo agguagliato il valore de' più chiari artefici, et per avventura superato.

F. BOCCHI, *Le bellezze della città di Fiorenza*, 1591

Il Pontormo diede in un eccesso di melanconia, e per fare al naturale quelle figure del Coro di San Lorenzo state sotto l'acque del Diluvio, teneva i cadaveri ne' trogoli d'acqua per farli così gonfiare, ed appestar dal puzzo tutto il vicinato.

G. CINELLI, in *Le bellezze della città di Fiorenza* di F. Bocchi, 1677

Alle pareti del Coro [di S. Lorenzo] veggonsi due storie a fresco di Jacopo da Pontormo: una del Diluvio universale e l'altra della Resurrezione de' morti. Impazzò, par che accenni il Vasari, prima che ne staccasse il pennello, avviluppandosi in considerar troppo al vivo, e ridurre all'atto di espression naturale, le qualità di quei malinconici e funesti accidenti, che in vero gli scorci sono stravaganti e le attitudini sconvolte.

F. L. DEL MIGLIORE, *Firenze città nobilissima illustrata*, 1684

Quivi [in S. Lorenzo] aveva voluto emular Michelangelo, e restare anch'esso in esempio dello stile anatomico, che già cominciava in Firenze a lodarsi sopra ogni altro. Ma egli lasciò ivi ben altro esempio; e solamente insegnò a' posteri che il vecchio non dee correre dietro alle mode.

L. LANZI, *Storia pittorica dell'Italia*, 1789

Michelagnolo, nel vedere qualche opera di questo giovinetto, profetizzò che costui porterebbe la pittura al cielo: profezia come tante profezie. Riuscì un sofistico, scontento di se stesso, cambiava sempre stile, disfaceva, rifaceva, ed era sempre fuori di strada. Lavorò sul gusto di Alberto Duro. D'un carattere selvaggio e bizzarro, si fece fabbricare una casetta, in cui entrava per la finestra, e poi tirava dentro la scala. Non volle lavorare per il Duca, e fece quadri che diede ai muratori per pagamento. Tolse al Salviati l'impresa della cappella di San Lorenzo: vi lavorò dodici anni, cancellando, leccando, disfacendo, rileccando: finalmente scopertosi il capo d'opera, fu magnificamente urlato.

F. MILIZIA, *Dizionario delle belle arti del disegno*, II, 1797

[...] Ma che direbbe egli mai [il Vasari, a proposito del Pontormo], se tornasse al mondo oggi, che la tedescheria, così nelle arti come nella filosofia, e in ogni altra cosa, ha sì invasato i nostri intelletti, che ci andiamo perfino privando di quel dolce canto italiano, che nell'anima si sente, per essere noiati delle astruserie delle musiche tedesche!

F. RANALLI, *Storia delle Belle Arti in Italia*, 1845

[...] il colorito di queste tavole [le 'storie' Borgherini di Henfield] è rossastro e di tono basso, manierato il disegno; difettose sono le proporzioni ed affettate le mosse. Questi caratteri indicherebbero il pennello del Pontormo.

G. B. CAVALCASELLE [-J. A. CROWE], *Storia della pittura in Italia*, 1866 (ed. it. XI, 1908)

[...] le lodi date a questa pittura [la *Cena in Emmaus*] sono veramente eccessive: questo elevato soggetto è trattato così ignobilmente e con un naturalismo così triviale, che la fa venire in fastidio.

G. MILANESI, in *Le vite* di G. Vasari, VI, 1881

Quando, nelle prime ore di una mattina di alcuni anni fa, entrai nella chiesa di Santa Felicita a Firenze, non sapevo di muovere il primo passo in una direzione che da allora ha invece impegnato ogni mio momento libero. Era un giorno d'autunno e pensavo - mi sembra di rivivere quel momento - che in una giornata così bella mi sarebbe stato possibile vedere una pala d'altare che invano avevo spesso cercato di decifrare nell'oscurità della cappella Capponi. Non mi ingannavo, infatti. La luce che irrompeva dalle finestre più alte della navata cadeva anche su quell'angolo così oscuro: e in quel fuggevole splendore vidi veramente per la prima volta la *Deposizione* del Pontormo.

Fu il momento di una rivelazione inattesa. Mentre studiavo il quadro in un lieto stupore, mi andavo rendendo conto non solo della sua bellezza, ma anche della cecità con cui avevo accettato il pregiudizio di quelli che considerano Andrea del Sarto l'ultimo dei grandi artisti fiorentini, e che pensano che tutti i suoi contemporanei più giovani siano nell'insieme solamente dei futili eclettici la cui opera si riassume tutta negli affreschi del Vasari in Palazzo Vecchio.

F. M. CLAPP, *Pontormo*, 1914

La rigogliosa pianta dell'arte toscana, che per vari secoli aveva dato tanti frutti così squisiti e variati, dopo aver offerto i suoi due più meravigliosi doni, Leonardo e Michelangiolo, si avviava all'esaurimento; tra i tardi prodotti ancora molto gustosi ma già alquanto grami va mentovato per primo il Pontormo [...].

C. GAMBA, *Il Pontormo*, 1921

In questo periodo del Cinquecento fiorentino, che, nonostante i sintomi di decadenza, attrae per l'intensa attività di ricerca e la forte impronta personale degli ingegni del Pontormo, del Rosso, del Bronzino, il primo, più di tutti complesso, porta, nei suoi tentativi di piegare ad espressioni nuove la linea e il colore, l'audacia e lo slancio del genio. La banalità del gusto, la monotonia del livello artistico, la mancanza di passione, che han reso sinonimo di mestiere, più che d'arte, il vocabolo di manierismo, non sono ancor proprie dei giorni in cui viveva il Pontormo, sebbene anche in lui, nel suo eccesso medesimo d'autocritica, si scorgano i segni di turbamento caratteristici d'una civiltà sul declivio [...].

Tutto impressiona la sua sensibilità, accende la sua fantasia tesa verso il nuovo: ricorda Piero di Cosimo nelle costruttive luci dei primi ritratti; Michelangelo è il nume sulle cui orme volge il passo nel suo esordio artistico; intravvede, per mezzo d'Andrea, il problema pittorico dello sfumato, e devia da esso per raggiungere una sua propria visione, dove il colore, non smorzato, non sgranato dall'ombra, è goduto per sé, nella sua intatta limpidezza; persino di Masaccio appare uno sporadico ricordo nel gruppo stravolto di Adamo ed Eva agli Uffizi.

Ma forse nessuno di questi grandi esempi fiorentini ebbe sul Pontormo influenza così vitale come lo studio dell'arte germanica, soprattutto per mezzo delle stampe dureriane, ove egli trova elementi più consoni a sviluppare la sua tendenza verso la linea decorativa e verso il colore puro. Mentre il proposito di attenersi ai principi di Michelangelo corrisponde con i periodi meno felici dell'arte di Jacopo, par che soltanto la visione dell'arte germanica dia libero slancio alle tendenze del suo spirito singolarissimo, e veramente illumini la sua via, riveli a lui stesso la sua personalità. La tortuosa linea gotica, soprattutto strumento d'espressione spirituale agli artisti tedeschi, diviene, passando nelle mani di questo raffinato erede della civiltà toscana, soprattutto mezzo per raggiungere espressioni di pura eleganza decorativa: forma e colore sono, nelle più significative opere del Pontormo, orientati a creare la beltà complessa d'una flora di serra, delicata e capricciosa.

A. VENTURI, *Storia dell'arte italiana*, 1932

L'invenzione di questi primi manieristi [Pontormo e Rosso] non è che un riflesso impallidito di quella dei maestri del secolo precedente; ma essa è ancora piena di suggestione, non solo perché prelude al nostro disordine, ma perché confrontata, ad esempio, con l'arte volgare e pesante della scuola bolognese che le succede, si aureola di un'ultima luce ideale [...].

A. LOTHE, in "Nouvelle Revue Française", 1935

Un senso di sorpresa pervade chi per la prima volta veda questo quadro [la *Deposizione* di S. Felicita]. È un'allucinante visione di pura fantasia; sembra che i personaggi, presi da un profondo senso di sbigottimento, composti di una sostanza lunare, siano trasportati, trasportando il Cristo, in una nuvola, campati in aria; si agitano le braccia, si curvano le teste: una luce chiarissima li pervade, e fa brillare con delicatissime trasparenze i rosa, i verdi, le carni candide e appena velate da penombre. Attonito, con la bocca semiaperta, San Giovanni sembra troppo esile per sostenere il bianchissimo corpo del Cristo. Un'altra figura giovanile, in atto di sollevare il Cristo, è fosforescente di luce e volge verso noi gli occhi spauriti nelle profonde orbite. Il gruppo delle pie donne e delle altre figure è composto nel modo più inconsueto e mosso. Mai la composizione 'piramidale' fu sconvolta da tanta varietà di piani e di attitudini. Un ritmo di linee curve, date dall'agitarsi dei chiari panni, dal sollevarsi a festone delle braccia, come in una cadenza, produce un movimento concitato, ma armonioso, che è la nota dominante e quasi astratta, più percettibile e anche più impressionante che l'espressione ed i gesti delle singole figure. Certo in questa musica non manca l'enfasi, ma tutto è portato ad una tale esaltazione che anche l'enfasi rientra nell'armonia.

E. TOESCA, *Il Pontormo*, 1943

S'apriva ora [con la *Cena in Emmaus*] al Pontormo una via nuova, verso il naturalismo della pittura del secentesco. Ma per seguirla egli avrebbe dovuto rinunciare alla sensitiva, intellettualistica acutezza che era in fondo alla sua visione d'artista. Solo in essa il suo spirito autocritico, teso verso liminari vibrazioni al di là di ogni certezza, poteva esprimersi intero. E tutto il momento evolutivo che segue alla Certosa è caratterizzato da questo insorgere d'un intimo dissidio tra una sintesi figurativa pienamente raggiunta e l'ansia di approfondirla ancora nell'espressione delle più inafferrabili note dello spirito.

L. BECHERUCCI, *Manieristi toscani*, 1944

Per la sua tradizione di cultura e la sua raffinatezza di colorista spesso la realtà più comune tra le mani del Pontormo diventa agevole e piena di scioltezza che è giusto dire signorile; ma se questo avviene senza che tale realtà perda interesse in moduli convenzionali, non torna a danno né della particolarità né della schiettezza delle cose raffigurate. Più problematica, perché si tiene maggiormente al letterario sensualismo manierista, è la *Deposizione* di Santa Felicita; si salva all'arte sia per quanto di solidamente pontormesco contiene, sia perché in quello che concede al gusto del tempo ci dà l'artista in un equilibrio instabile pieno di perplessità sofferta, che non è rinuncia morale, ma diventa fascino. Eppure non cercheremo qui particolarmente il Pontormo, ma più volentieri nei ritratti, nella *Conversazione*, nella *Cena* e nelle altre opere libere. Con esse egli prende un posto pieno di significato nella pittura del Cinquecento, affermando un colorismo e un naturalismo che non sono quelli dei lombardi precursori di Caravaggio, ma vanno in senso concorde.

Abbiamo studiato le ragioni che, privando il Pontormo del consenso dei suoi concittadini, artisti e pubblico, gli resero impossibile lo svolgersi con serenità e abbandono; [...] aveva genio abbastanza per cercare di sottrarsi al gusto del suo ambiente, per riuscirvi il più delle volte, non per opporgli decisamente una sua convinzione. Egli sentiva fortemente le conseguenze sterilizzanti per l'arte del nuovo dissidio dualistico ed aspirava a ricomporlo, mentre Michelangelo affermava in dramma perpetuo, contro il reale, l'ideale, sempre più dolorosamente sofferto. Anche la sofferenza del Pontormo è di questo genere, e svela il basso livello spirituale e quindi artistico di tanta produzione del Cinquecento, anche se la gente se ne lascia abbagliare.

Forse, è anche questa sua appartenenza a una età di crisi, la lotta con un tempo viziato come il nostro da una povertà spirituale fondamentale, che rende il Pontormo simpatico ai moderni, oltre i molti presentimenti che nel suo sradicarsi dalle convenzioni contemporanee e nelle varie esperienze ebbe modo di rivelare. Lo stesso suo andare per successivi e diversi tentativi pare avvicinarlo al modo di produrre dei nostri artisti, e c'è infatti qualche punto simile, ma non bisogna esagerare nell'analogia.

G. NICCO-FASOLA, *Pontormo o del Cinquecento*, 1947

Coloro che nei fatti artistici oggidì studiano soprattutto la ragione sociale ed economica, sogliono mettere in relazione il movimento o fenomeno manierista con una serie di eventi politici, finanziari e religiosi: la lotta tra Francia e Spagna, di cui è vittima l'Italia; il contraccolpo della Riforma, e il consolidamento cattolico del Concilio tridentino; lo stringersi della classe aristocratica intorno alle grandi monarchie ed alle corti, come la granducale in Toscana, di formazione nuova; il trasformarsi dei modi della produzione, nella quale aumenta il potere del capitale privato e diminuisce quello delle corpora-

zioni, delle gilde; cosicché l'individuo si sente sempre più tagliato fuori da un sistema di solidarietà sociale, e abbandonato a se stesso, in un mondo pieno d'incertezza e pericoli.

Queste cose non sono da negare, mentre meno persuade, leggendo cotesti scrittori, la maniera diretta e scoperta in cui, a sentir loro, sembrerebbe che di tali cose gli artisti del manierismo avessero coscienza e subissero gli effetti. Nell'animo degli artisti, quegli allarmi e patemi saranno invece stati sofferti, come sempre accade, una volta che erano ridotti a modi e moti di sentimento così personale ed intimo, da esserne irreperibili e irriconoscibili le lontane cause politiche, economiche e religiose. Una volta, diciamo, che erano diventati pura materia formale, sostanza di linee, colori, proporzioni: i veri argomenti di competenza dell'artista.

E. CECCHI, in *Diario* di I. Pontormo, 1956

Jacopo da Pontormo, forse più degli altri grandi Manieristi della prima metà del '500, il Rosso e il Beccafumi, ebbe la capacità critica di valutare i problemi suscitati dalle più significative imprese artistiche del suo tempo: dai cartoni con le battaglie di Cascina e di Anghiari e dagli affreschi di Andrea del Sarto all'Annunziata, alle Stanze e alla Sistina. Dai suggerimenti offertigli da tali opere non tanto cercò di trarre una sintesi, quanto, incessantemente, elementi per l'origine di nuove idee. Come se la piena sintesi già raggiunta da quelle opere lo mettesse in un esaltato stato poetico, atto a toccare imprevedibili conseguenze. Ma in lui l'esaltazione poetica soffriva e cozzava contro un'ansia, tutta 'crepuscolare', di penetrazione e raffinamento stilistici. Dunque l'intera sua opera, salvo rare parentesi di distensione ritrovata in qualche ritratto, riflette una preoccupazione senza tregua di andare oltre quanto era stato già fatto in pittura, e dagli altri e da lui stesso.

L. MARCUCCI, in "Quaderni pontormeschi", 1957

L'avventura düreriana del Pontormo non appare [...] il fatto insueto, che era stato ragione di scandalo agli stessi contemporanei, ma quasi la conseguenza, sia pure portata fino ai limiti più arrischiati, di quella rivoluzione figurativa che aveva dato nei cartoni per le Battaglie, eseguiti da Leonardo e da Michelangelo nel primo decennio del secolo, i grandi paradigmi di un linguaggio nuovo [...], l'approdo, all'inizio del Cinquecento, della conquista rinascimentale della forma, giunta ormai, oltrepassando ogni traguardo già toccato, a significare la libera energia del "moto che è causa di ogni vita", l'universale relazione dinamica che era la grande scoperta del Rinascimento. Gli espressionismi formali e coloristici, nei quali s'era mossa per secoli l'"arte gotica", non apparivano più, pertanto, i fatti abnormi contro i quali s'era appuntata la polemica del primo umanesimo. Divenivano comprensibili e perfino congeniali a questa liberazione dinamica della forma. E il Pontormo, come il Rosso, guardando alle incisioni del Dürer o di

Luca da Leida, non si ponevano contro corrente, ma secondavano arditamente le sollecitazioni più vitali dell'epoca.

L. Becherucci,
in "Enciclopedia universale dell'arte", VIII, 1958

[...] Il certo è che l'attitudine del Pontormo e del Rosso nei riguardi della preponderante cultura artistica fiorentina degli anni '10-'20, quale era impersonata soprattutto dal Frate e da Andrea, era quella di utilizzare in qualche modo le forme classiche in uno spirito che non era più il loro. Il senso della novità che li caratterizza deve quindi ricercarsi più che altrove nella loro sensibilità di artisti nuovi che intuivano quanto fosse scossa l'aperta fiducia nelle risorse e nei destini dell'umanità e che seppero esprimere questa tragica imposizione dei tempi alla loro sorte di uomini in un'arte turbata e ricca di contraddizioni, in una deformazione del mondo classico piena di effetti irrazionali, capricciosi e soggettivi. Uno dei documenti più originali e parlanti della crisi cinquecentesca italiana [...].

G. Briganti, *La Maniera italiana*, 1961

Il manierismo di Jacopo si integra nella continuità della storia stilistica della pittura fiorentina, mentre ciò non avviene per il Rosso, e per questa ragione, e non per qualche caratteristica accidentale, esso avrà maggiore capacità di determinarne il futuro. D'altra parte, la profondità di ciò che era stata una disciplina classicistica perdura quale abito mentale e spirituale nelle nuove e non-classiche invenzioni di Jacopo e lo aiuta a raggiungere, in quegli anni di ricerca, profondità e complessità di significato che l'uguale genio del Rosso non coglie.

S. J. Freedberg, *Painting of the High Renaissance in Rome and Florence*, 1961

Al Pontormo, al contrario, la semplicità era negata. Lo dimostra la divergenza stessa che cogliamo, agli inizi, della medesima influenza düreriana sul Rosso e su lui. In definitiva nel Rosso subito estroversamente, in un piglio aggressivo, in un'ironia briosa, con risultanza liberatrice come in psicologia le scariche aggressive e umoristiche; in Iacopo invece in una più lenta morsa, intima e tormentosa, nell'allucinato scrutare verso mondi opposti, dubbi rimescolanti e dissolventi, che incrinava già perfino l'elaborazione dell'ultima pagina serena, al Poggio [...].

L. Berti, *Pontormo*, 1964

Verso il 1530, quando il Pontormo accoglie l'influsso del tardo stile di Michelangelo e il Rosso si trasferisce in Francia, si conclude la prima fase del Manierismo, fase rivoluzionaria, agitatissima, quasi febbrile, che ha soprattutto un carattere espressionistico-spiritualistico; e comincia in complesso un periodo di esperienze stilistiche più calme, più esteriori, spiritualmente più fredde. È l'inizio della maturità artistica del Bronzino e del Parmigianino, non soltanto contemporanei, ma, come il Pontormo e il Rosso, nati nello stesso anno 1503. Il decennio che divide così le date di nascita più significative dei due periodi ha una grandissima importanza storica: la differenza d'età dei maestri più autorevoli contiene in parte i presupposti dell'acquietamento.

A. Hauser, *Der Manierismus*, 1964 (ediz. ital. 1965)

Di fronte all'antico, il Pontormo tenne le distanze in modo sorprendente. Il fatto che egli desse al Giuseppe dell'altare Visdomini i tratti tormentati di Laocoonte non presuppone né un rapporto diretto né una comprensione del modello antico: il Pontormo si servì, per così dire, di una formula fissa. A Poggio a Caiano egli trasformò l'antico e la sua mitologia in qualche cosa di paesano e di contemporaneo, e creò così in Toscana una nuova categoria figurativa, la cui fusione di allegoria, emblematica e storia è rimasta unica.

K. W. Forster, *Pontormo*, 1966

Il colore
nell'arte del
Pontormo

Elenco delle tavole

Episodio di vita ospedaliera [n. 18]
TAV. I
Assieme.
TAV. II
Part. della zona a destra.

Sacra conversazione [n. 19]
TAV. III
Assieme.

Decorazione della Cappella del Papa
TAV. IV
Part. della volta con putti e stemma di Leone X [n. 31-34].
TAV. V
Part. della lunetta con la *Veronica* [n. 25].

S. Sebastiano [n. 24]
TAV. VI
Assieme.

Visitazione [n. 35]
TAV. VII
Assieme.
TAV. VIII
Part. con il fanciullo ignudo in basso a destra.

Dama con cestello di fusi [n. 36]
TAV. IX
Assieme.

Ritratto di gioielliere [n. 39]
TAV. X
Assieme.

S. Quintino [n. 38]
TAV. XI
Assieme.
TAV. XII
Part. con il viandante nella zona centrale a destra.

'Storie' di Giuseppe della camera Borgherini
TAV. XIII
Giuseppe in Egitto
Assieme [n. 43].
TAV. XIV
Part. dei due bambini in basso verso destra.

TAV. XV
Part. delle due figure nella zona centrale verso destra.
TAV. XVI
Part. con le due statue

Pala Pucci: Madonna con il Bambino e santi [n. 53]
TAV. XVII
Assieme.

Ritratto di musicista [?] [n. 57]
TAV. XVIII
Assieme.

Cosimo il Vecchio de' Medici [n. 58]
TAV. XIX
Assieme.

S. Antonio Abate [n. 63]
TAV. XX
Assieme.

'Santi' di Pontorme
TAV. XXI A
S. Giovanni Evangelista [n. 61].
TAV. XXI B
S. Michele Arcangelo [n. 62].
TAV. XXII
Part. con il putto del *S. Michele Arcangelo* [n. 62].

Ritratto d'uomo in profilo [n. 68]
TAV. XXIII
Assieme.

Adorazione dei Magi [n. 66]
TAV. XXIV-XXV
Assieme.
TAV. XXVI
Part. della zona in alto verso sinistra.
TAV. XXVII
Part. della zona in alto verso destra.

Madonna con il Bambino e due santi [n. 71]
TAV. XXVIII
Assieme.

Vertunno e Pomona [n. 67]
TAV. XXIX
Assieme.

TAV. XXX
Part. con Vertunno.
TAV. XXXI
Part. della figura femminile in basso a destra.

'Storie' della Passione
TAV. XXXII
Orazione nell'orto [n. 78].
TAV. XXXIII
Cristo dinanzi a Pilato [n. 79].
TAV. XXXIV
Part. con la figura in alto al centro del *Cristo dinanzi a Pilato* [n. 79].
TAV. XXXV
Deposizione [n. 81].
TAV. XXXVI
Resurrezione [n. 82].

Madonna con il Bambino e s. Giovannino [n. 77]
TAV. XXXVII
Assieme.

Sacra Famiglia con s. Giovannino [n. 72]
TAV. XXXVIII
Assieme.

Cena in Emmaus [n. 85]
TAV. XXXIX
Assieme.
TAV. XL
Part. del discepolo seduto a sinistra.
TAV. XLI
Part. della zona centrale a sinistra.

Natività del Battista [n. 89]
TAV. XLII
Assieme.

Ritratto di giovanetto [n. 91]
TAV. XLIII
Assieme.

Madonna con il Bambino e s. Giovannino [n. 101]
TAV. XLIV
Assieme.

Decorazione della Cappella Capponi
TAV. XLV
Annunciazione [n. 98].
TAV. XLVI
Part. dell'Annunciata.
TAV. XLVII
Deposizione [n. 97].
TAV. XLVIII
Part. della figura femminile in alto a sinistra della *Deposizione* [n. 97].
TAV. IL
Part. della figura femminile in alto a destra della *Deposizione* [n. 97].
TAV. L
Part. della figura maschile in basso al centro della *Deposizione* [n. 97].
TAV. LI
Part. della zona al centro della *Deposizione* [n. 97].
TAV. LII
S. Giovanni Evangelista [n. 93].
TAV. LIII
S. Luca [n. 94].

S. Gerolamo penitente [n. 102]
TAV. LIV
Assieme.

Visitazione [n. 104]
TAV. LV
Assieme.
TAV. LVI-LVII
Part. della zona centrale in alto.

Alabardiere [n. 106]
TAV. LVIII
Assieme.

Pala di S. Anna: Madonna con il Bambino, s. Anna e altri santi [n. 105]
TAV. LIX
Assieme.

Gli undicimila martiri [n. 111]
TAV. LX
Assieme.

Ritratto di dama [n. 117]
TAV. LXI
Assieme.
TAV. LXII
Part. della zona in basso a sinistra.

Alessandro de' Medici [n. 119]
TAV. LXIII
Assieme.

Niccolò Ardinghelli [n. 126]
TAV. LXIV
Assieme.

Nell'edizione normale

In copertina:
Part. della *Deposizione* [n. 97].

In sovraccoperta:
Part. della *Deposizione* [n. 97].

Il numero arabo posto fra parentesi quadre dopo il titolo di ciascuna opera si riferisce alla numerazione dei dipinti adottata nel presente Catalogo delle opere, che inizia a pagina 85.

TAV. I   EPISODIO DI VITA OSPEDALIERA   Firenze, Galleria dell'Accademia   [n. 18]
Assieme (cm. 91×150).

TAV. II   EPISODIO DI VITA OSPEDALIERA Firenze, Galleria dell'Accademia [n. 18]
Particolare (cm. 65×53).

TAV. III   SACRA CONVERSAZIONE Firenze, SS. Annunziata [n. 19]
Assieme (cm. 223×196).

TAV. IV DECORAZIONE DELLA CAPPELLA DEL PAPA Firenze, S. Maria Novella
Particolare della volta con putti e stemmi di Leone X (cm. 170×140) [n. 31-34].

TAV. V   DECORAZIONE DELLA CAPPELLA DEL PAPA Firenze, S. Maria Novella
Particolare della lunetta con la *Veronica* (cm. 160×130) [n. 25].

TAV. VI   S. SEBASTIANO   Digione, Musée des Beaux-Arts   [n. 24]
Assieme (cm. 65×48).

TAV. VII   VISITAZIONE Firenze, SS. Annunziata   [n. 35]
Assieme (cm. 392×337).

TAV. VIII   VISITAZIONE Firenze, SS. Annunziata [n. 35]
Particolare (cm. 134×110).

TAV. IX DAMA CON CESTELLO DI FUSI Firenze, Uffizi [n. 36]
Assieme (cm. 76×54).

TAV. X   RITRATTO DI GIOIELLIERE Parigi, Louvre [n. 39]
Assieme (cm. 69×50).

TAV. XI S. QUINTINO Sansepolcro, Pinacoteca Comunale [n. 38]
Assieme (cm. 163×103).

TAV. XII   S. QUINTINO Sansepolcro, Pinacoteca Comunale [n. 38]
Particolare (macrofotografia).

TAV. XIII   'STORIE' DI GIUSEPPE DELLA CAMERA BORGHERINI
Giuseppe in Egitto (cm. 44×49) Londra, National Gallery [n. 43].

TAV. XIV 'STORIE' DI GIUSEPPE DELLA CAMERA BORGHERINI
Particolare del *Giuseppe in Egitto* (macrofotografia) Londra, National Gallery [n. 43].

TAV. XV 'STORIE' DI GIUSEPPE DELLA CAMERA BORGHERINI
Particolare del *Giuseppe in Egitto* (macrofotografia) Londra, National Gallery [n. 43].

TAV. XVI 'STORIE' DI GIUSEPPE DELLA CAMERA BORGHERINI
Particolare del *Giuseppe in Egitto* (grandezza naturale) Londra, National Gallery [n. 43].

TAV. XVII   PALA PUCCI: MADONNA CON IL BAMBINO E SANTI Firenze, S. Michele Visdomini [n. 53]
Assieme (cm. 214×185).

TAV. XVIII   RITRATTO DI MUSICISTA [?]   Firenze, Uffizi   [n. 57]
Assieme (cm. 88×67).

TAV. XIX   COSIMO IL VECCHIO DE' MEDICI Firenze, Uffizi [n. 58]
Assieme (cm. 86×65).

TAV. XX   S. ANTONIO ABATE Firenze, Uffizi [n. 63]
Assieme (cm. 78×66).

TAV. XXI A e B   'SANTI' DI PONTORME   Empoli, Museo della Collegiata
S. Giovanni Evangelista e *S. Michele Arcangelo* (ciascuno , cm. 173×59) [n. 61 e 62].

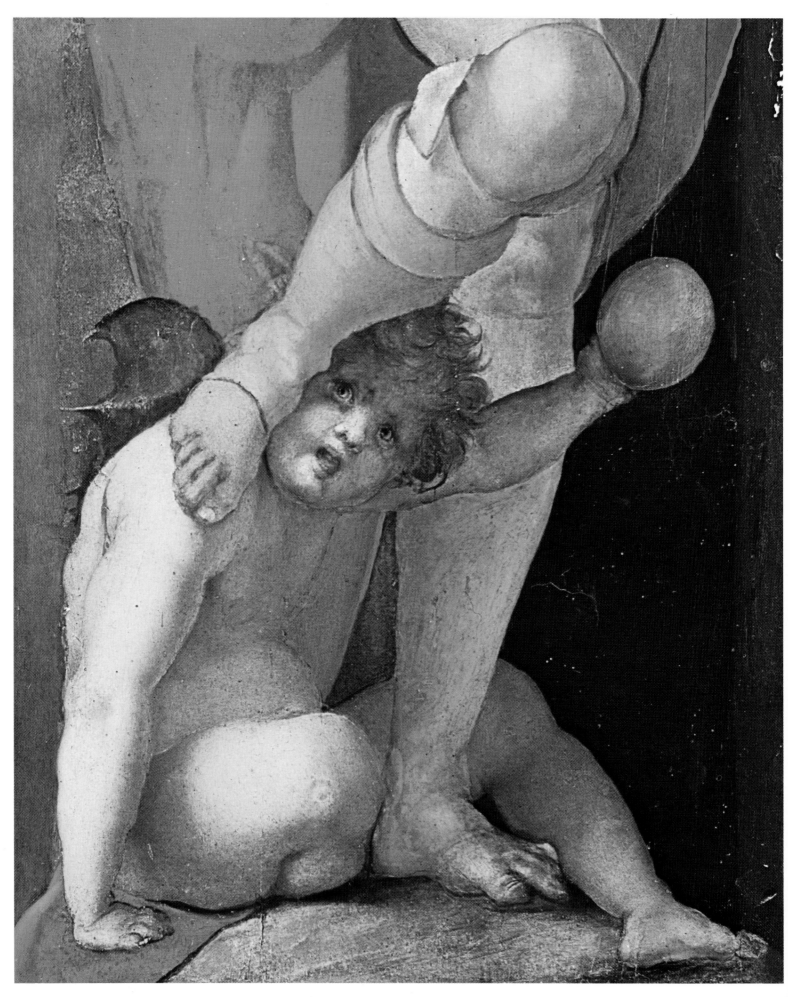

TAV. XXII   SANTI' DI PONTORME   Empoli, Museo della Collegiata
Particolare del *S. Michele Arcangelo* (cm. 72×59) [n. 62].

TAV. XXIV-XXV ADORAZIONE DEI MAGI Firenze, Pitti [n. 66]
Assieme (cm. 85×190).

TAV. XXVI ADORAZIONE DEI MAGI Firenze, Pitti [n. 66]
Particolare (grandezza naturale).

TAV. XXVII   ADORAZIONE DEI MAGI Firenze, Pitti [n. 66]
Particolare (grandezza naturale).

TAV. XXVIII   MADONNA CON IL BAMBINO E DUE SANTI Firenze, Uffizi [n. 71]
Assieme (cm. 72×60).

TAV. XXIX   VERTUNNO E POMONA Poggio a Caiano, Villa Medicea [n. 67]
Assieme (cm. 461×990).

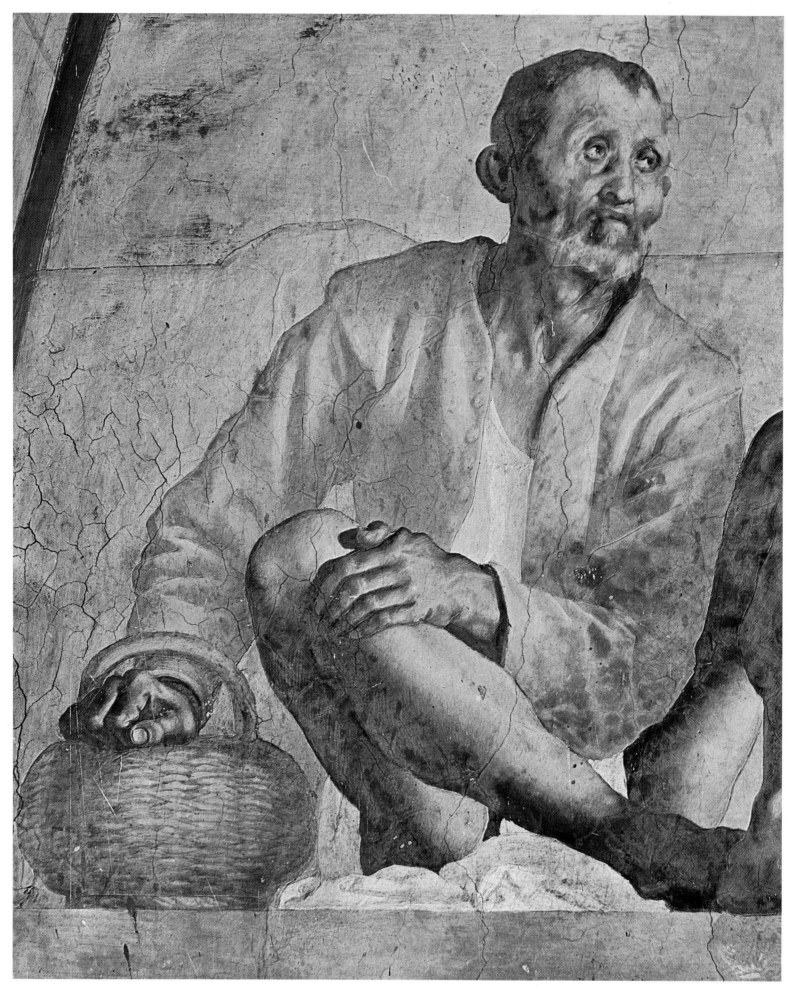

TAV. XXX   VERTUNNO E POMONA Poggio a Caiano, Villa Medicea [n. 67]
Particolare (cm. 122×100).

TAV. XXXI   VERTUNNO E POMONA   Poggio a Caiano, Villa Medicea   [n. 67]
Particolare (cm. 122×100).

TAV. XXXII   'STORIE' DELLA PASSIONE Firenze, Museo della Certosa del Galluzzo
Orazione nell'orto (cm. 300×290) [n. 78].

TAV. XXXIII 'STORIE' DELLA PASSIONE Firenze, Museo della Certosa del Galluzzo
Cristo dinanzi a Pilato (cm. 300×290) [n. 79].

TAV. XXXV   'STORIE' DELLA PASSIONE Firenze, Museo della Certosa del Galluzzo
Deposizione (cm. 300×290) [n. 81].

TAV. XXXVI   'STORIE' DELLA PASSIONE Firenze, Museo della Certosa del Galluzzo
Resurrezione (cm. 232×291) [n. 82].

TAV. XXXVII   MADONNA CON IL BAMBINO E S. GIOVANNINO Firenze, Galleria Corsini [n. 77]
Assieme (cm. 87×67).

TAV. XXXVIII   SACRA FAMIGLIA CON S. GIOVANNINO Leningrado, Ermitage [n. 72]
Assieme (cm. 120×98,5).

TAV. XXXIX   CENA IN EMMAUS Firenze, Uffizi [n. 85]
Assieme (cm. 230×173).

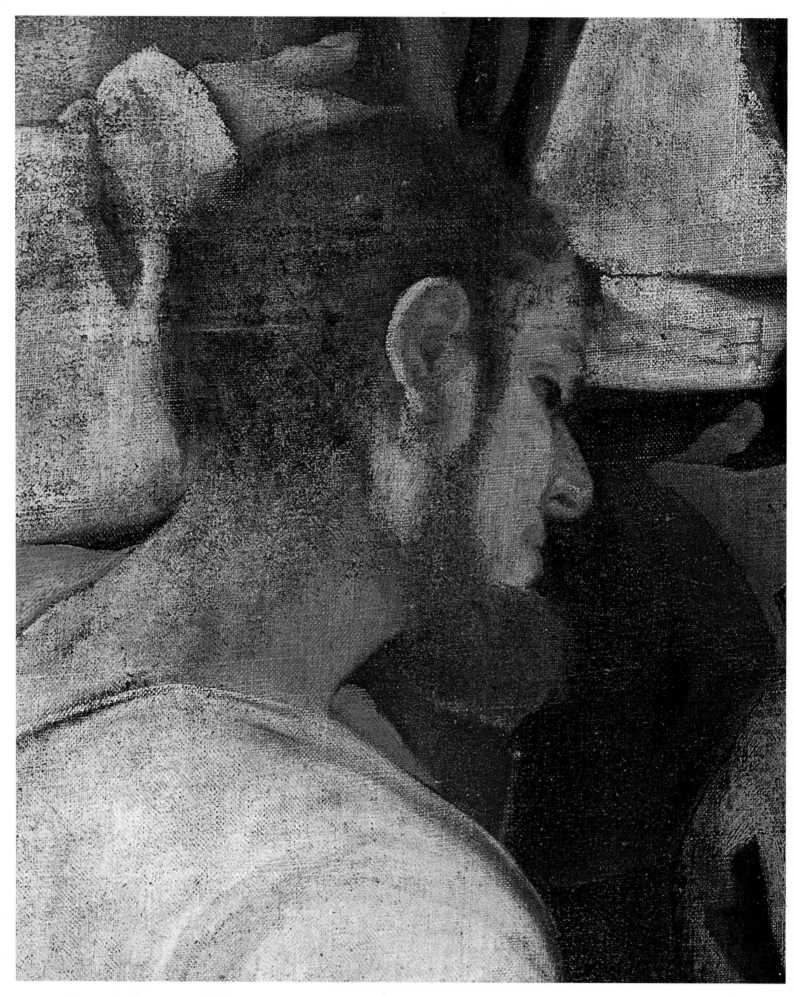

TAV. XL   CENA IN EMMAUS Firenze, Uffizi [n. 85]
Particolare (cm. 40×33).

TAV. XLI CENA IN EMMAUS Firenze, Uffizi [n. 85]
Particolare (cm. 55×45).

TAV. XLII   NATIVITA DEL BATTISTA   Firenze, Uffizi   [n. 89]
Assieme (diametro cm. 54).

TAV. XLIII   RITRATTO DI GIOVANETTO Lucca, Museo Nazionale di Villa Guinigi [n. 91]
Assieme (cm. 85×61).

TAV. XLIV   MADONNA CON IL BAMBINO E S. GIOVANNINO Firenze, Uffizi [n. 101]
Assieme (cm. 89×73).

TAV. XLV   DECORAZIONE DELLA CAPPELLA CAPPONI   Firenze, S. Felicita
Annunciazione (cm. 368×168) [n. 98].

TAV. XLVI DECORAZIONE DELLA CAPPELLA CAPPONI Firenze, S. Felicita
Particolare dell'*Annunciazione* (cm. 183×150) [n. 98].

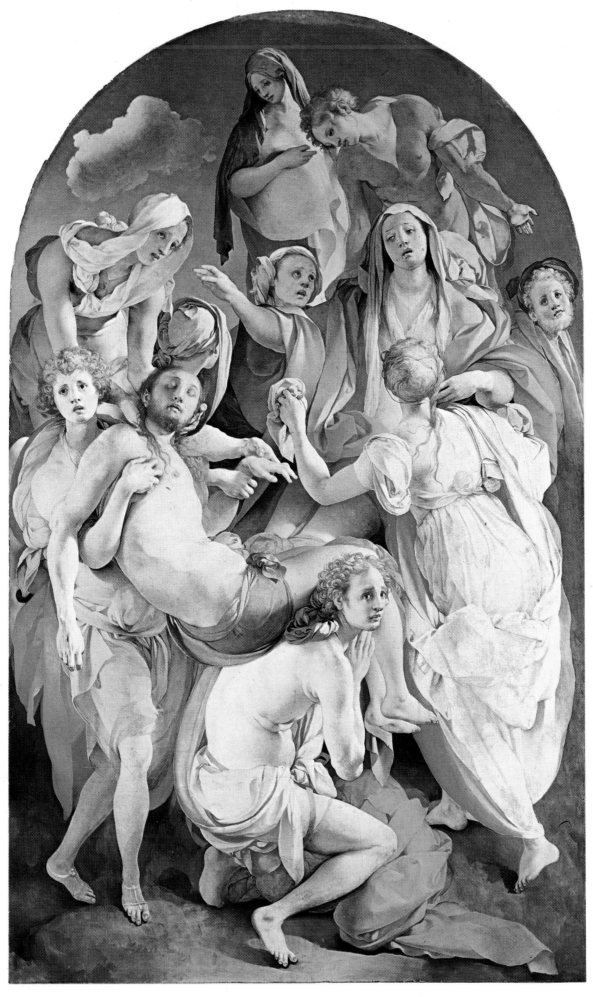

TAV. XLVII   DECORAZIONE DELLA CAPPELLA CAPPONI Firenze, S. Felicita
Deposizione (cm. 313×192) [n. 97].

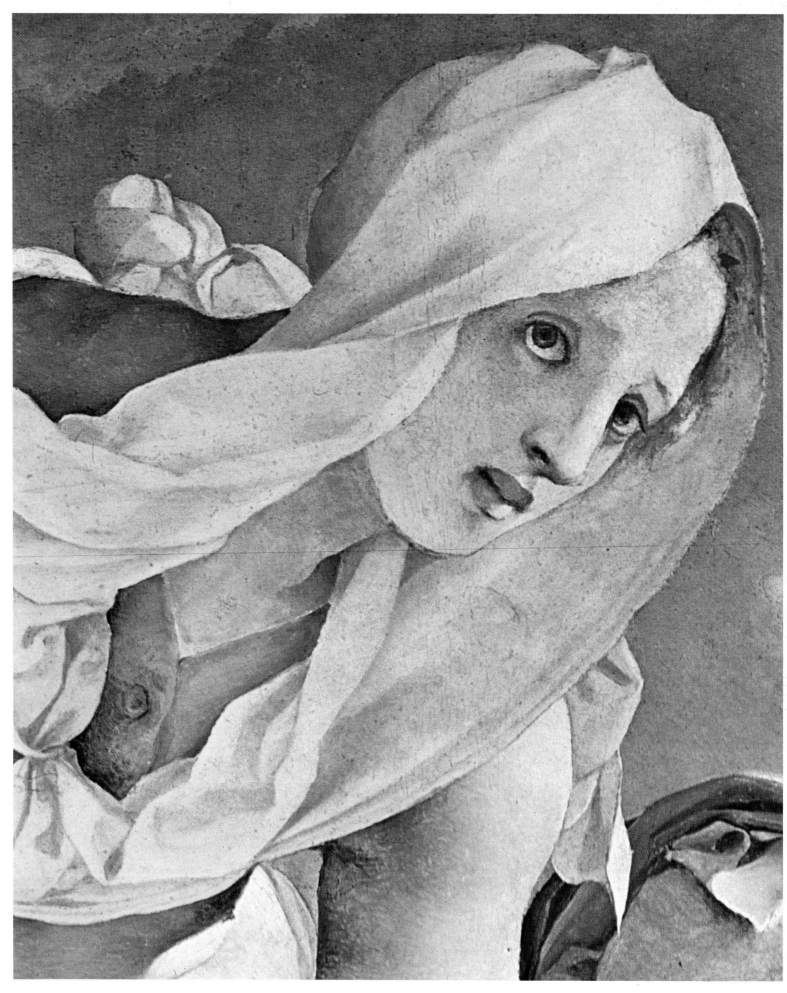

TAV. XLVIII   DECORAZIONE DELLA CAPPELLA CAPPONI Firenze, S. Felicita
Particolare della *Deposizione* (cm. 45,7×37,5) [n. 97].

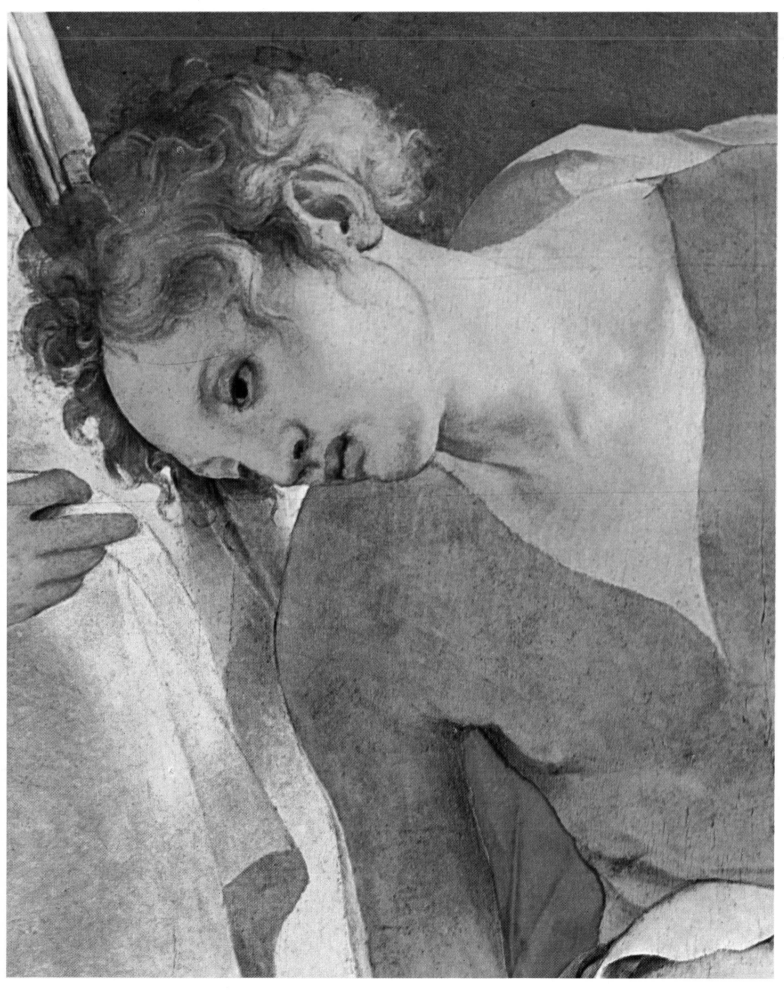

TAV. L   DECORAZIONE DELLA CAPPELLA CAPPONI Firenze, S. Felicita
Particolare della *Deposizione* (cm. 45,7×37,5) [n. 97].

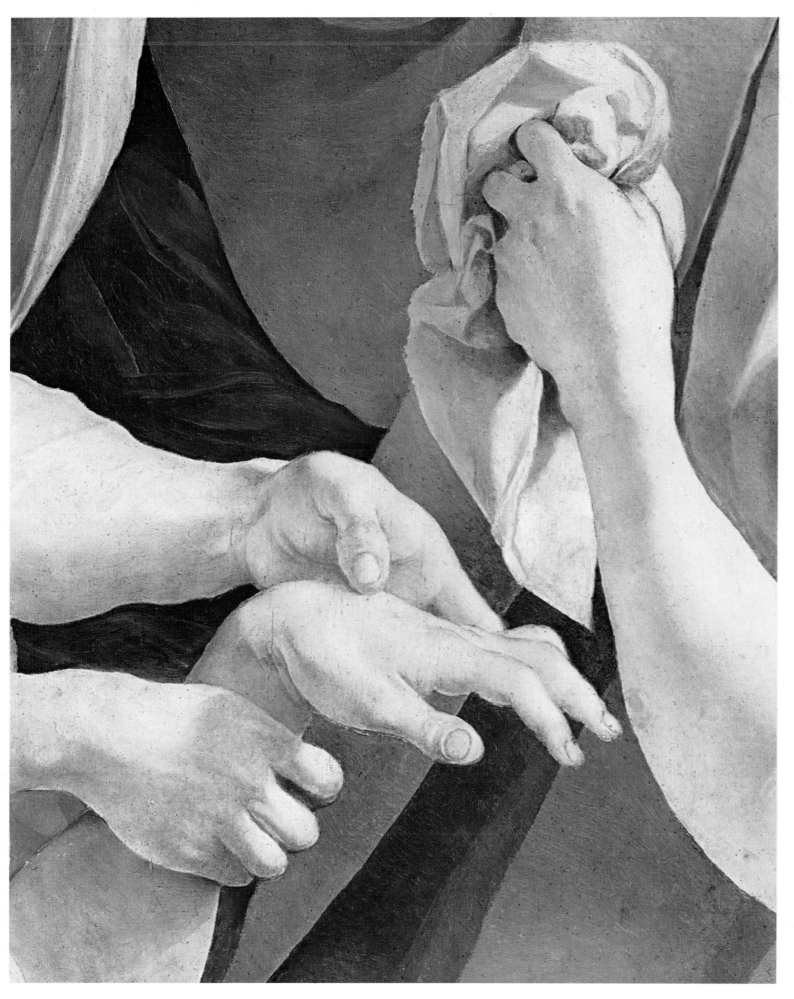

TAV. LI   DECORAZIONE DELLA CAPPELLA CAPPONI Firenze, S. Felicita
Particolare della *Deposizione* (cm. 45,7×37,5) [n. 97].

TAV. LII DECORAZIONE DELLA CAPPELLA CAPPONI Firenze, S. Felicita
S. Giovanni Evangelista (diametro cm. 70) [n. 93].

TAV. LIII DECORAZIONE DELLA CAPPELLA CAPPONI Firenze, S. Felicita
S. Luca (diametro cm. 70) [n. 94].

TAV. LIV   S. GEROLAMO PENITENTE Hannover, Niedersächsisches Landesmuseum (Städtische Galerie) [n. 102]
Assieme (cm. 105×80).

TAV. LV VISITAZIONE Carmignano, Pieve di S. Michele [n. 104]
Assieme (cm. 202×156).

TAV. LVI-LVII   VISITAZIONE Carmignano, Pieve di S. Michele [n. 104]
Particolare (cm. 67×110).

TAV. LVIII ALABARDIERE New York, Chauncay Stillman [n. 106]
Assieme (cm. 92×72).

TAV. LIX   PALA DI S. ANNA: MADONNA CON IL BAMBINO, S. ANNA E ALTRI SANTI   Parigi, Louvre   [n. 105]
Assieme (cm. 228×176).

TAV. LX   GLI UNDICIMILA MARTIRI Firenze, Pitti [n. 111]
Assieme (cm. 65×73).

TAV. LXI RITRATTO DI DAMA Francoforte, Städelsches Kunstinstitut [n. 117]
Assieme (cm. 89×70).

TAV. LXII   RITRATTO DI DAMA Francoforte, Städelsches Kunstinstitut [n. 117]
Particolare (cm. 35×28,7).

TAV. LXIII   ALESSANDRO DE' MEDICI   Filadelfia, John G. Johnson Collection   [n. 119]
Assieme (cm. 97×79).

TAV. LXIV   NICCOLÒ ARDINGHELLI Washington, National Gallery of Art [n. 126]
Assieme (cm. 102×79).

Analisi
dell'opera pittorica del Pontormo

Convenzioni
e abbreviazioni

Allo scopo di rendere immediatamente palesi gli elementi essenziali di ciascuna opera, l'intestazione di ogni 'scheda' del *Catalogo* (a partire da pag. 85) reca — dopo il numero del dipinto (che segue il più attendibile ordine cronologico, e al quale si fa riferimento ogni qualvolta l'opera venga citata nel corso del volume), dopo il titolo e dopo l'eventuale ubicazione — una serie di abbreviazioni, riferite: alla tecnica; al supporto; alle dimensioni (fornite in centimetri: prima l'altezza, poi la base); all'eventuale presenza di firma e/o di data; quando tali dati non possano essere indicati con certezza, ma solo in via approssimativa, sono fatti seguire da 'circa' (*c*) o da un punto interrogativo (?). Tutti gli elementi forniti registrano l'opinione prevalente nella moderna storiografia d'arte: ogni discordanza di rilievo e ogni ulteriore precisazione vengono dichiarate nel testo.

Tecnica

af: affresco
ol: olio

Supporto

crt: carta
tl: tela
tv: tavola

Dati accessori

d: opera datata
f: opera firmata

Bibliografia
essenziale

La biografia contemporanea di G. VASARI [*Le vite*, 1550 e 1568[2]; ed. a cura di G. Milanesi, VI, Firenze 1881], molto particolareggiata e arricchita anche dai precisi ricordi del Bronzino, allievo del Pontormo fin dai primi anni, è ancora la fonte principale.

Una monografia fondamentale fu quella di F. M. CLAPP [*Jacopo Carucci da Pontormo*, New Haven - London 1916], preceduta da uno studio sui disegni [*Les dessins de Pontormo*, Paris 1914].

Seguono, fra i contributi critici: B. BERENSON [*The Florentine Painters of the Renaissance*, New York - London 1896, fino a *Italian Pictures of the Renaissance. Florentine School*, London 1963; *The Drawings of the Florentine Painters*, London 1903, fino a *I disegni dei pittori fiorentini*, Milano 1961], C. GAMBA [*Il Pontormo*, Firenze 1921], A. VENTURI [*Storia dell'arte italiana*, IX, Milano 1932], E. TOESCA [*Il Pontormo*, Roma 1943], L. BECHERUCCI [*Manieristi toscani*, Bergamo 1944], G. NICCO FASOLA [*Pontormo o del Cinquecento*, Firenze 1947].

La "Mostra del Pontormo e del primo manierismo fiorentino" [*Catalogo del Pontormo* a cura di L. BERTI, Firenze 1956] segna un puntualizzarsi aggiornato degli studi, con il concorso anche di alcuni numeri di rivista a cura di U. BALDINI, L. BERTI, L. MARCUCCI, G. NICCO FASOLA, U. PROCACCI ["QP" (per questa e le successive abbreviazioni si veda l'elenco qui sotto) 1956-57]. Un punto di analisi critica considerevole è raggiunto da S. J. FREEDBERG [*Painting of the High Renaissance in Rome and Florence*, Cambridge (Mass.) 1961].

Fra le monografie più recenti, con aggiornata bibliografia, sono da citare: L. BERTI [*Pontormo*, Firenze 1964; *Pontormo. Disegni*, Firenze 1965], J. COX REARICK [*The Drawings of Pontormo*, Cambridge (Mass.) 1964]; ulteriori aggiornamenti bibliografici sono in *The Drawings of Pontormo. Addenda*, "MD" 1970], K. W. FORSTER [*Pontormo*, München 1966]; cui si aggiunge il catalogo della mostra di disegni del Pontormo a Brera, a cura di A. FORLANI TEMPESTI [Milano 1970].

Elenco delle abbreviazioni

A: "L'Arte"
AB: "The Art Bulletin"
AC: "Arte racconta"
AP: "Apollo"
BA: "Bollettino d'arte"
BE: "Belvedere"
BM: "The Burlington Magazine"
CA: "Critica d'arte"

GBA: "Gazette des Beaux-Arts"
JWC: "Journal of the Warburg and Courtauld Institutes"
KC: "Kunstchronik"
MD: "Master-Drawings"
MK: "Monatshefte für Kunstwissenschaft"
MKI: "Mitteilungen des Kunsthistorisches Institutes in Florenz"
O: "L'Œil"
P: "Paragone"
PT: "Pantheon"
QP: "Quaderni pontormeschi"
RIA: "Rivista d'arte"
ZK: "Zeitschrift für Kunstgeschichte"

Documentazione sull'uomo e l'artista

1494, 24 MAGGIO. Iacopo Carrucci, poi detto il Pontormo, nasce a Puntormo o Pontorme (Empoli) da Bartolommeo di Iacopo Carrucci, un pittore fiorentino discepolo di Domenico Ghirlandaio, e da Alessandra di Pasquale di Zanobi di Filippo. La dimora natale è stata identificata [Procacci, *La casa del Pontormo*, "QP" 1957], e segnata da una lapide con iscrizione di Emilio Cecchi: essa apparteneva al nonno materno di Iacopo, Pasquale, che era un calzolaio. La casa sarà ereditata da Iacopo, che la denuncerà per la decima del 1536: "Una casa con bottega sotto a uso di calzolaio, e oggi a uso di casa che s'appigiona, posta nella via maestra di Puntormo". La famiglia paterna di Iacopo sembra invece provenisse dall'Incisa (secondo il Vasari, che data la nascita del Pontormo, invece che al 1494, al 1493); l'attività pittorica del padre dell'artista non è identificata.

1499. Muore il padre del Pontormo. Nel corso di pochi anni moriranno anche la madre (1504) e il nonno (1506), e Iacopo sarà allevato dalla nonna materna mona Brigida.

1508. Iacopo viene posto sotto la tutela del magistrato dei Pupilli a Firenze, città dove però già risulta in un documento del 1503 relativo ai frati di S. Maria Novella e al pittore Albertinelli. A Firenze era dapprima ospite di un parente calzolaio; avviato alla pittura, frequentava successivamente le botteghe di Leonardo, Piero di Cosimo e Mariotto Albertinelli.

1512. È nella bottega di Andrea del Sarto e collabora con il maestro dipingendo, insieme al Rosso Fiorentino, la predella dell'*Annunciazione* per i frati di S. Gallo (*Catalogo*, n. 2).

1513. Inizia l'attività autonoma del Pontormo, sia per i carri del carnevale (*Catalogo*, n. 4-5), sia con l'affresco sull'ingresso della SS. Annunziata (n. 6). Andrea del Sarto, geloso, lo allontanerà.

1514. Termina l'affresco della SS. Annunziata (*Catalogo*, n. 6), dipinge i pannelli del carro della Moneta (n. 8-17), e riceve la commissione per la *Visitazione* (n. 35) nel chiostrino della SS. Annunziata.

1515. In occasione della venuta di papa Leone X a Firenze, ottiene importanti commissioni (*Catalogo*, n. 25-34). Forse compie un primo viaggio di studio a Roma, motivato dall'impegno per la *Visitazione* (n. 35).

1516. Termina la *Visitazione* della SS. Annunziata (*Catalogo*, n. 35).

1517. Muore la sorella del Pontormo, Maddalena.

1515-18c. Collabora alla decorazione pittorica della camera nuziale di Pier Francesco Borgherini (*Catalogo*, n. 40-43).

1518. Data della pala Pucci (*Catalogo*, n. 53) in S. Michele Visdomini a Firenze, eseguita per Francesco Pucci gonfaloniere della repubblica.

1519-21. Entro questi termini si pone l'affresco per i Medici a Poggio a Caiano (*Catalogo*, n. 67).

1523. È impegnato nelle 'storie' della Passione nel chiostro grande della certosa del Galluzzo (*Catalogo*, n. 78-82), dove si è ritirato per sfuggire alla peste che imperversa a Firenze. I lavori dureranno fino al 1525 e oltre.

1525. Data della *Cena in Emmaus* per la certosa del Galluzzo (*Catalogo*, n. 85). L'artista risulta iscritto nella compagnia di S. Luca.

1526. Esegue il desco da parto (*Catalogo*, n. 89) per la nascita del primogenito a Girolamo Della Casa e Lisabetta Tornaquinci. È iscritto come pittore nella corporazione dei Medici e Speziali.

1525-26c. Esegue i ritratti di Alessandro e, presumibilmente, Ippolito de' Medici giovanetti, che sono a Firenze sotto la tutela del cardinale Passerini (*Catalogo*, n. 91-92).

1525-28. Lavora nella cappella Capponi di S. Felicita (*Catalogo*, n. 93-98), su commissione di Ludovico Capponi, per cui esegue anche altre opere (n. 99-100).

1529c. Esegue la pala di S. Anna (*Catalogo*, n. 105) per la signoria fiorentina, dopo l'espulsione dei Medici e prima dello stringersi dell'assedio su Firenze.

1529. Acquista dall'ospedale degli Innocenti due lotti in via della Colonna a Firenze per costruirsi casa e bottega.

1529-30. Durante l'assedio di Firenze, ritrae un presumibile Francesco Guardi in abito da soldato (*Catalogo*, n. 106). Inoltre dipinge una *Resurrezione di Lazzaro* (n. 110), oggi perduta, che Giovanbattista Della Palla si procura per il re di Francia Francesco I.

1531-34. Dopo l'assedio, dipinge "*Noli me tangere*" (*Catalogo*, n. 115) e *Venere e Cupido* (n. 116) da cartoni di Michelangelo.

1532. Clemente VII, tramite Ottaviano de' Medici, e il duca Alessandro gli affidano l'incarico del compimento del salone della villa di Poggio a Caiano (*Catalogo*, n. 118), ma l'opera non ha realizzazione pratica.

1534. Risulta compiuta la casa del Pontormo, strana abitazione dove "alla stanza dove stava a dormire e talvolta a lavorare, si saliva per una scala di legno, la quale, entrato che egli era, tirava su con una carrucola, acciò niuno potesse salire da lui senza sua voglia o saputa" [Vasari]. L'astuto muratore Rossino, eseguendo dei lavori per Iacopo, ne ottiene in cambio dipinti.

1534-35. Ritrae il duca Alessandro de' Medici (*Catalogo*, n. 119).

1535-36. Il duca Alessandro gli affida, in collaborazione con il Bronzino, la decorazione, perduta, di una loggia nella villa medicea di Careggi (*Catalogo*, n. 122).

1537. Dopo l'assassinio di Alessandro, il Pontormo ritrae il nuovo duca Cosimo I (*Catalogo*, n. 123).

1537-43. Il duca Cosimo lo incarica della decorazione, oggi perduta, di una loggia nella villa medicea di Castello (*Catalogo*, n. 124).

1545-46. Collabora ai cartoni degli arazzi delle 'storie' di Giuseppe (*Catalogo*, n. 130-132).

1546. Da quest'anno fino alla morte, nel 1556, si impegna negli affreschi del coro di S. Lorenzo, affidatigli dal duca Cosimo, che lascia però incompiuti e che andranno distrutti nel Settecento (*Catalogo*, n. 133).

1548. Risponde alla inchiesta del Varchi sul confronto tra scultura e pittura.

1554. Inizia la stesura del *Diario*.

1557. Il 2 gennaio è sepolto nel chiostro della SS. Annunziata; era morto il giorno prima o l'ultimo dell'anno. Gli dedicarono sonetti il Varchi, il Bronzino, il Porcacci, la Battiferri Ammannati. Il Pontormo aveva avuto come allievo principale il Bronzino, inoltre il Pichi, il Lappoli, Iacone, P. F. Foschi, e da ultimo Battista Naldini. Il Vasari attesta l'agorafobia e la solitudine dell'artista (che comunque fu amico, oltre che dei già citati, di Ottaviano de' Medici, di Pier Francesco Licci, maggiordomo alla corte ducale, di Pier Francesco Vernacci, di don Vincenzo Borghini) e precisa inoltre che "ebbe il Pontormo di bellissimi tratti, e fu tanto pauroso della morte, che non voleva, non che altro, udirne ragionare, e fuggiva l'avere a incontrare morti". (A proposito dei vari autoritratti e ritratti del maestro si vedano Berti [*Sembianze del Pontormo*, 1957] e Wild ["RIA" 1961]).

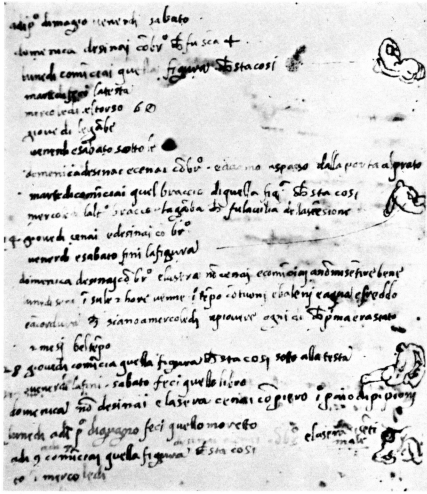

Pagina del manoscritto originale del diario dell'artista (si veda a pag. 5).

84

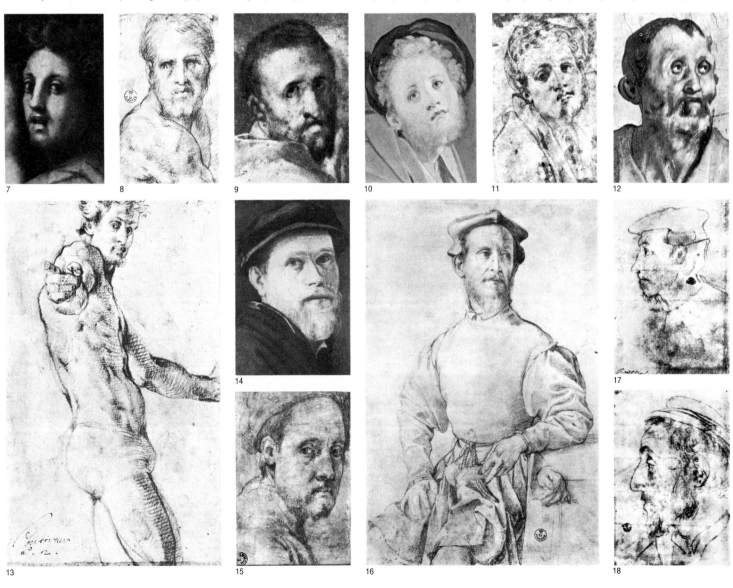

Presunti ritratti (1-6) o autoritratti (7-18) del Pontormo: 1) A. Bronzino, nel Cristo al limbo, Firenze, Museo di S. Croce; 2) A. Allori, nel Gesù fra i dottori, Firenze, SS. Annunziata; 3) A. Bronzino, nel Martirio di s. Lorenzo, Firenze, S. Lorenzo; 4) Incisore veneto, silografia premessa alla biografia del Pontormo nelle Vite di G. Vasari (Firenze, 1568²); Pittore del XVI-XVII secolo, Firenze, Uffizi (depositi); 6) Id., id., Firenze, Uffizi. - 7) Dalla Pala Pucci (Catalogo, n. 53); 8) da un disegno (1515 c.), Firenze, Uffizi (n. 6719 F r.); 9) dall'Adorazione dei Magi (Catalogo, n. 66); 10) dalla Deposizione (Catalogo, n. 97); 11) da un foglio di schizzi, Firenze, Uffizi (n. 6587 F); 12) dal Vertunno e Pomona (Catalogo, n. 67); 13) disegno (1525 c.), Londra, British Museum (n. 1936-10-10-10 r.); 14) olio su tavola (Catalogo, n. 114); 15) disegno (1528-30 c.), Firenze, Fondazione Horne (n. 5542); 16) disegno (1533-34), Firenze, Uffizi (n. 6698 F); 17) disegno (1522-25), ibid. (n. 6668 F v.); 18) disegno (1522-25), ibid. (n. 6668 F r.).

Catalogo delle opere

*Elenco cronologico e iconografico
di tutti i dipinti del Pontormo
o a lui attribuiti*

Il Pontormo, non troppo fortunato presso i contemporanei, ha suscitato invece un interesse e un apprezzamento progressivamente crescenti nel nostro secolo. Questo per certe affinità che si avvertivano con la situazione di crisi che in lui si manifesta, per la caduta di vecchie remore di gusto nell'apprezzamento della sua arte, per l'individuare in lui uno dei principali protagonisti di quella svolta figurativa cinquecentesca cui si è dato il nome di manierismo. Ultimamente si trovano degli studiosi che se lo configurano come un 'contestatore'. In realtà però il Pontormo non contestò direttamente il classicismo (se non nella certosa del Galluzzo; n. 78-82); lo elaborò invece con sofisticate ricerche e con il ricorso a elementi culturali estranei e contrari, come i nordici, fino a conseguire risultati abnormi, che via via lasciarono perplessi i contemporanei. Certo quando Raffaello e Michelangelo fecero profezie molto positive in base ai suoi primi lavori (1508-14c.), nemmeno potevano immaginare a che tipo di arte sarebbe giunto — già una decina di anni dopo — quel malinconico ma fervoroso ragazzo. Un'arte anomala tanto più può stupire dato l'ambiente — Firenze — che appariva il centro solido e tradizionale del Rinascimento da ormai un secolo; e dove anche il Pontormo, come tutti i giovani artisti fiorentini, partì come ammiratore della ferma e pura verità di Masaccio nella cappella Brancacci. Ma forse proprio perché il classicismo è qualcosa di intellettuale rispetto a posizioni più sensualistiche, *a posteriori* non ci sorprendiamo che, volendo la ricerca procedere più oltre, e non arrestandosi il lavorio cerebrale e formalistico, lo sbocco poteva avvenire in vie indubbiamente pericolose, e da ultimo senza uscita, del Pontormo. Michelangelo risulta che continuò a stimarlo almeno fino sui primi del quarto decennio, e certo era tra le poche menti che potesse capirlo in quel suo scavare sempre più a fondo, fino agli strati del dubbio, della contraddizione, della 'degenerazione', del nulla; i fiorentini, compresi i Medici, seguitarono a rispettarlo anche capendolo sempre di meno, ma attendendosi sempre

qualche felice miracolo da "quel cervello [che] andava sempre investigando nuovi concetti e stravaganti modi di fare, non si contentando e non si fermando in alcuno" [Vasari]. Ma in definitiva il Pontormo forse appare un classicista che riesce, con "quel cervello" incontentabile, a esaurire il classicismo; nella grande linea della pittura a Firenze, egli segna infatti l'epilogo, e dopo di lui essa si prolunga ancora solo nel suo discepolo Bronzino, fisso però nella sua gelida seppur alta preziosità. Da allora si ebbero artisti rispettabili, ma già fuori di quel grande processo ormai esaurito, e Berenson ha chiuso fino — giustamente — la porta del suo paradiso rinascimentale.

Il Pontormo si formò in una Firenze che era ancora il più fervido centro di ricerche figurative, eccitate dalla compresenza di figure straordinarie come Leonardo e Michelangelo (oltre al giovane Raffaello), ma alimentate da tutto un ambiente, penetrante e misurato insieme, che conta i nomi non solo di pittori ma anche di scultori come Andrea e Iacopo Sansovino, il Rustici, il giovane Bandinelli. Se guardiamo la gamba in profilo e col piede appoggiato in punta del *S. Giovanni Evangelista* di Empoli (n. 61), ci accorgiamo che essa è desunta dal *Levita* del Rustici sulla porta del battistero fiorentino (1511); e se ammiriamo il disegno del Pontormo a Lilla (n. 42¹), con lo studio quasi cinematografico per successivi fotogrammi del moto di una figura, ci avvediamo che egli si è ispirato al *Bacco* (1512) di Iacopo Sansovino, in moto trascorrente. Quanto ai pittori, sappiamo che il giovanissimo Iacopo passò per le botteghe di Leonardo, Piero di Cosimo, Albertinelli, Andrea del Sarto. Mentre Piero di Cosimo, con la sua bizzarra apertura al nordico, e l'Albertinelli, che costituisce un parallelo (ma più sensibile) al classicismo onestamente sobrio di fra' Bartolomeo, sono esperienza ritrovabili nel primo Pontormo, però non fondamentali; invece, le due grandi figure di Leonardo e Michelangelo gli lasciarono suggestioni generali durature; e con Andrea del Sarto egli venne a un'emulazione, a una dialettica continua, sotto un'in-

fluenza stringente, per liberarsi dalla quale impiegò tutto un primo periodo. Di Leonardo, il Pontormo sembra avere recepito soprattutto il senso del problematico, quel "maggior discorso mentale" della pittura rispetto alla scultura, che egli ridurrà modestamente a "fastidi di mente" (si veda, negli scritti del Pontormo, la risposta al Varchi); e inoltre quello della 'grazia', dolce ma misteriosa, contrapposta all' 'eroico' e al 'terribile' michelangiolesco; una grazia che formalmente significa una fluida circolazione entro l'opera e tensioni affettuose delle forme, uno psicologismo sottile fino all'ambiguo e teso magari nello sofferente, sorrisi e gesti addittanti, la vibrazione intimistica dello sfumato entro l'ombra. Questo leonardismo emerge per esempio chiaramente nella civettuola *Sibilla* (n. 60), complica di rapporti sentimentali la pala Pucci (n. 53), stemperandone il plasticismo michelangiolesco. Tuttavia il Pontormo lascia cadere del tutto il senso dell'infinito cosmico, esplorato scientificamente dal Vinci. Egli si restringe come pochi altri sull'uomo, la sua esplorazione è esistenziale e viene perseguita, molto modernamente, per strade puramente formali. Nella lunetta di Poggio a Caiano (n. 67), l'atmosfera e la poesia della campagna sono captate con un'acutezza singolare, ma in realtà, oltre a quei pochi celestini e vediamo solo un muretto e qualche ramo con fronde: la campagna è evocata che descritta. Capita del resto, anche in letteratura, che pochi magici versi richiamino di più un luogo e un'atmosfera che prolisse ma inerti descrizioni.

In questa essenzialità e in questo stringersi sulla figura umana, il Pontormo presceglie dunque la strada di Michelangelo (e vedremo fino a che punto di disperata solitudine essa lo condurrà). Ma agli inizi, il Buonarroti deve avere significato per lui un ideale soprattutto di fierezza eroica, di fisicità energica, di vibrata plasticità della forma, scattante nei contrapposti e nelle torsioni, di pazienza quasi artigianale e pur nobile. Andrea del Sarto si ritira spontaneamente dall'ambiente romano, che lo spaventa per la molteplicità delle proposte da parte di tutte quelle opere, "così antiche come moderne", e per quegli allievi di Raffaello che

proprio del sentirsi al bivio e della dialettica tra gli opposti si alimentavano i "fastidi di mente" continui del Pontormo. Che cosa poi giungesse a ricavare da partenze michelangiolesche, può essere constatato — a parte l'ultima fase, su cui torneremo — notando come il contadino ignudo e oblioso al bagno di sole nell'affresco citato di Poggio a Caiano venga dagli *Ignudi* della Cappella Sistina, riducendoli a questa sottile e dimessa grazia arcaica. E se la *Deposizione* di S. Felicita (n. 97) si ricorda indubbiamente del titanico cartone della *Battaglia di Cascina*, con i suoi corpi in tutte le più "stravaganti attitudini", ecco che quella struttura da orizzontale si è fatta verticale e a grappolo, da poderosa aerea, che quegli eroici soldati sono divenuti un gruppo di languorosi e allucinati dolenti. Eppure il Pontormo doveva ritenere bene le immagini di quell'arte michelangiolesca, se per esempio il *Bacco* del Buonarroti, nel giardino romano del banchiere Galli (giunto a Firenze solo nel secolo XVII), si dimostra l'unico precedente invocabile (si confrontino particolarmente le due teste) per il giovane che in panni celestini sorregge il corpo di Cristo in quella *Deposizione*. Ma, da un dionisismo ispirato da tutta la possanza dell'antico, come nel capolavoro di Michelangelo, quale trapasso a questo angelico ballerino.

Nella Firenze ritornata dopo il sacco di Prato (1512) sotto il giogo medicео, consolata del resto dalla elevazione al papato di Leone X de' Medici, ma ormai subordinata a Roma, accerchiata da un pericolo di provincialismo, l'arte magistrale però mite, timida e lenta di Andrea del Sarto si attiene alla situazione: a Roma ormai il teatro per le grandiosità più sonore; per la sicurezza orgogliosa, a Firenze una misura molto più modesta, però una ricerca fine, qualificata, controllata, di pazienza quasi artigianale e pur nobile. Andrea del Sarto si ritira spontaneamente dall'ambiente romano, che lo spaventa per la molteplicità delle proposte da parte di tutte quelle opere, "così antiche come moderne", e per quegli allievi di Raffaello che

lavorano "sicuri e senza stento"; e soltanto nell'ambiente patrio domestico, a distanza, sente il suo respiro tranquillo, l'impatto di quell'esperienza fruttifera, la capacità di prodursi "sebbene semplici e pure, bene intese, senza errori e in tutti i conti di somma perfezione" [Vasari]. Il Pontormo, allievo presto messo a distanza dal geloso Andrea, per alcuni anni non può evitare di essergli tributario, come dimostrano le citazioni, le riprese, le ispirazioni, le emulazioni continue, o il fatto che ci siano alcuni ritratti (n. 36, 57) che solo per una sfumatura sono passati dall'attribuzione ad Andrea a quella al Pontormo. È anzi la gara con Andrea che spinge il Pontormo a passi audaci, presto rivelatisi decisivi. Nel chiostrino della SS. Annunziata, mettendosi a paragone con i grandi risultati del Sarto di pochi anni prima (il *Corteo dei Magi* del 1512, la *Natività della Madonna* del '14), il Pontormo nella sua *Visitazione* (n. 35), del '16, rinuncia ai vasti spazi oggettivi del Sarto, allo 'svolgersi' suasivo delle sue scene dinanzi allo spettatore, per serrare invece, entro lo 'scenario' (non 'ambiente') di una prossima esedra, figure che del resto appaiono piuttosto che in verosimile azione, 'presentate' in studiate pose e in esse bloccate. Le forme sono monumentali, ma certi sguardi tradiscono una sottile angoscia. Se questo, come appare probabile, è il frutto di un viaggio romano del Pontormo (1515c.) per studiarvi specialmente le grandi creazioni di Raffaello, è un fatto che la 'naturalezza' di Andrea è svanita, e manca d'altra parte il solenne respiro delle figurazioni raffaellesche; e come se urtassimo contro quelle pareti troppo incombenti, come se constatassimo la teatralità di fondo delle figure, un affresco simile ci dà proprio la sensazione di una certa angustia che stringe l'ambiente fiorentino, dell'irrequietezza che ne doveva venire a temperamenti non calmi (quale Andrea) come il Pontormo e il Rosso.

Ma come evadere? Vediamo adesso un altro momento di confronto del Pontormo con il Sarto, nei pannelli per la camera di Pier Francesco Borgherini. In una delle 'storie' di s. Giuseppe (1515-16 c.) di Andrea (attualmente a Firenze, Pitti), a riscontro con il *S. Giuseppe in Egitto* (1517-18 c.) del Pontormo (n. 43), ritroviamo anticipate molte cose consimili, un mosso scenario spaziale, un fondo di paesaggio, la porta di un edificio con una gradinata, delle scale esterne che salgono a un locale superiore, dei gruppi di figure un po' agitati e perfino con qualche fisionomia bizzarra, dei vuoti improvvisi tra questi gruppi, un analogo particolare di un fanciullo seduto su un gradino, a colloquio con un altro in piedi. È estremamente probabile — ripetiamo — che sia stato Andrea a precedere in queste invenzioni il Pontormo, e tutte le varianti apportate da quest'ultimo indicano allora i metodi e i risultati dell'emulazione. In sostanza, al 'romantico' del pannello di Andrea qui si sostituisce un 'anomalo' appoggiato all'esotico e a programmatiche ricerche (testimoniate da molti disegni) di insolite sensazioni e stilizzazioni. Nel fondo c'è un castello nordico, grossi massi ingombrano la strada; la normale scala di Andrea munita di ringhiera ora ne è divenuta priva, e sale girando sì da ispirare un lieve senso di vertigine; certe ombre si proiettano così forti da costituire un inquietante duplicato delle persone; le fisionomie sono caricate e spesso bizzarre, una violenza sembra intervenuta a scaglionare il gruppo che sale a triangolo a sinistra, o a stringere fino all'assurdo la piccola folla al centro; statue semiviventi si richiamano da un punto all'altro della composizione. Poiché era difficile gareggiare con la normale, finissima sensibilità di Andrea, il Pontormo è ricorso al sofisticato, al capriccioso, all'onirico, che fuoriescono inquieti dal classicismo. Non manca tuttavia nel bellissimo pannello un certo che di affaticante; e l'impressione di troppe bravure, complicazioni, viene anche da quell'altra emulazione del Sarto, questa però tutta in chiave classicistica, che è la pala Pucci (n. 53) del '18, pur con la sua qualità, derivata dal maestro, di disegno impeccabile e di chiaroscuro fuso.

Nell'angoloso, forte ritratto di Cosimo il Vecchio (n. 58), ma con un che di tormentoso come un'evocazione negromantica di defunti, nei due *Santi* di Pontorme (n. 61-62), di un'affusata e articolata eleganza a cui concorre un lieve sentore di follia (si confronti il punto sotto il s. Michele), il Pontormo infine sul termine del decennio sembra pervenuto a più distinguersi dai modi di Andrea del Sarto. Una distinzione che, conseguita per via di faticate ricerche, con esse è però divenuta in grado di esplorare zone nuove di sensibilità. Così nel *Vertunno e Pomona* (n. 67) la vita agreste, contadina, la bellezza del costume popolano, restano afferrate dallo stilismo pur calcolatissimo, come dimostra la simmetria dichiaratissima, 'strofica' dei due gruppi. Se il classicismo è però sintesi, impressione di forza per il raggiungimento di una coesione armonica, il Pontormo invece sembra compiacersi di una sottile inquietudine nella coesistenza di elementi opposti come nella citata lunetta, lo sbalzo plastico e il linearismo stringente, nervoso, sottile; la naturalezza del contenuto e il preziosismo della sua espressione stilistica; cosicché, appunto, anche la costrizione della scena in quell'organizzazione strofica di cui si è detto appare contrapposto quasi necessario al desiderio di abbandono arcadico, spontaneo, che in quest'opera si esprime.

Certi disegni di poco posteriori ai lavori nella villa di Poggio a Caiano, come quello per il sofferente *S. Gerolamo* Guicciardini (n. 70), ci dimostrano d'altronde il rapido mutare del tono sentimentale del Pontormo dal lieto al triste, da una delicata serenità a una tormentata malinconia. Dai ricercati contadini toscani del Poggio, trapassiamo così poco dopo a imbatterci nella razza straniera, longilinea, serpentina, incomprensibile, nella banda di fantomatici lanzichenecchi e affini, insomma, degli affreschi alla certosa del Galluzzo (n. 78-82). Altrove chi scrive ha sospettato che questi imprevedibili affreschi così sulle orme di Dürer, così tedeschi, antitaliani e antiromani, come ben protestò il Vasari ("or non sapeva il Pontormo che i Tedeschi e Fiamminghi vengono in queste parti per imparar la maniera italiana, che egli con tanta fatica cercò, come cattiva, d'abbandonare?"), non siano stati senza un qualche rapporto con i primi echi e contraccolpi della Riforma che anche in Italia si facevano sentire proprio in quegli anni; magari con certi germi eretici che non mancarono nemmeno in Toscana, prima che la successiva decisa repressione della Controriforma ne eliminasse quasi il ricordo. A Firenze permaneva ancora suggestionante negli spiriti la memoria di fra' Gerolamo Savonarola, e per esempio nel 1517 il concilio provinciale fiorentino, promulgato da Giulio de' Medici (il futuro Clemente VII), dovette emanare disposizioni particolarmente più severe — proibizione di opere pericolose per la gioventù, proibizione di discussione anche filosofica su qualsiasi problema di pertinenza religiosa, proibizione della predicazione profetica e annunciante prossimi eventi —, evidentemente per stroncare pericolose tendenze già in atto. Nel 1520, quando giunsero le prime notizie di Lutero, i savonaroliani videro realizzarsi in questo "uomo prestantissimo" le profezie di fra' Gerolamo: nel Cerretani l'elogio di Lutero si accompagna a quelli di Erasmo e di Reuchlin. Dal Nord veniva dunque un soffio proprio di 'contestazione', in cui i motivi religiosi si univano poi ad altri culturali; la critica — appunto di Erasmo — al feticismo umanistico, al ciceronismo fanatico e stretto dei circoli culturali romani, e invece un impulso antiautoritario a una cultura aperta, la fiducia nella spontanea creatività della vita, quale nell'*Elogio della pazzia*. (A Firenze, agli Orti Oricellari, vanno forse ricordati i tentativi di Giovanni Rucellai nel verso sciolto: "Fuggi le rime e il rimbombar sonoro". Un proposito da cui poteva venire qualche suggerimento anche ai pittori per strutture meno legate, con-

Studio per una composizione con le Tre Grazie *(disegno, 29,5×21,2; 1535-36 c.; Firenze, Uffizi, n. 6748 F).*

cordanti, retoriche). Diversi furono del resto gli eretici toscani, fino a quell'Antonio Brucioli che fu scacciato nel 1530 durante l'assedio di Firenze, benché noto antimediceo, perché "pizzicava, secondo che le brigate dicevano, d'eresia, ed era tenuto luterano" [Varchi]. E chi sapeva di tedesco, facilmente veniva allora accusato di "barbaro" e sospettato di "luterano"; barbaro se non luterano fu chiamato lo stesso papa Adriano VI di Utrecht, inaspettatamente riuscito eletto al conclave del '22 con grande sgomento della curia romana — e degli umanisti da lei alimentati — che ne temette l'austera serietà riformatrice; ma morì poco dopo. In questo contesto, i detti affreschi della certosa (1523-25), con il loro ostentato nordicismo spiritualistico e anticlassico, sembrano acquistare un significato un po' più generale oltre a quello di un episodio puramente individuale del bizzarro Pontormo; pur senza pretendere assurdamente un Pontormo aderente al protestantesimo, o un senso luterano dell'iconografia, o un completo rigetto della cultura italiana; ma semplicemente pensandolo sensibile a una suggestione culturale e spirituale che in quel frattempo esisteva.

Comunque, nella *Cena in Emmaus* (n. 85) del '25, il Pontormo conclude l'esperienza della certosa con un altro punto culminante. La suggestione di Andrea del Sarto è ormai lontana, alle spalle; Dürer serve come spunto ma viene per certa parte superato. Pur nella semplicità evangelica, le figure acquistano una grandiosità monumentale, la 'grazia' ritorna: una coesistenza di veristico e di mistico, di umile e di raffinato, s'instaura. Di questa tela si ricordano grandi piedi nudi e gatti acquattati sotto la tavola; ma anche una sacralità che lo stile conferisce alla natura morta sulla tavola, transustanziando detto stile — a parte il gesto di Cristo —; cose semplici come pani, vetri, coltelli, l'atto comune di mescere; e il sentore conventuale, la spiritata psichicità dei certosini che assistono, quasi nell'ombra si percepisse odore fratesco, e tra esso l'aura del Divino. La situazione luministica in cui si rivelano le cose pare preludere al Caravaggio; la forza mistica delle immagini, al Greco. Il dipinto anticipa, in certi tratti, di quasi cento anni.

La lunetta del Poggio, con il suo linguaggio raffinato, ma ancora sostanzialmente toscano e garbato, impegnata in un discorso villereccio, era stata ancora legata — in definitiva — al mondo di Andrea del Sarto; la *Cena in Emmaus* (n. 85), con la sua ansia di verità diretta di là dal formalismo, con la sua religiosità sincera e veristica (piuttosto che un verismo religioso, come sarà nel Caravaggio), si collegava invece al mondo austero della Riforma, prospettato da Dürer. La *Deposizione* di S. Felicita (n. 97), intorno al 1527-28, ritorna però grandiosamente classicistica e michelangiolesca, anche se la ricostruzione di questo classicismo avviene in un'aura nuova e rarefatta, con un metodo tutto alterato. Almeno a chi scrive, piace immaginare che in essa si sia espressa una risposta dell'italiano Pontormo alla crisi catastrofica del suo paese, a Roma violentata dalle truppe luterane; quasi un'intuizione che per l'Italia la forma si rivelava come una cittadella ideale che ancora reggesse tra quei colli, un irrinunciabile primato che almeno consolava e offriva un punto di rifugio e di riferimento nella bufera. Da Dürer, egli ritornava perciò a Michelangelo, il genio rappresentativo di quella forma. Un Michelangelo reso però disperatamente elegiaco, sognato, aereo: le grandi figure non hanno peso, il colore non ha chiaroscuro, la composizione non ha ordine. Il manipolo di italiani eroici di Cascina si è trasformato in una languorosa famiglia di Niobidi allucinati. L'opera dista solo dieci anni dalla pala Pucci (n. 53), ma rende il senso di tutto ciò che in quel decennio si era consumato, del punto a cui si era giunti e da cui, chissà come, si sarebbe potuto proseguire. Questo strenuo formalismo risulta infatti ormai fine a se stesso, decadente e paradossale. Un formalismo che talora precorre la bravura barocca, come nell'*Angelo annunciante* di S. Felicita (n. 98); o invece propone una crepuscolare malinconia come nella *Visitazione* (n. 104) di Carmignano; oppure, al contrario, afferra la figura umana e le dà una disperata baldanza, come nell'*Alabardiere* (n. 106), che fu forse — come la pala di s. Anna (n. 105) — una partecipazione del Pontormo alla disperata ma orgogliosa difesa di Firenze nell'assedio (1529-30).

La città finì vinta da forze storiche ormai troppo superiori alle sue risorse limitate, e piombò in un clima di amarezza delusa e frustrata, con poche speranze. Il Pontormo, pur godendo del favore dei Medici reinstaurati, può avere a quel punto intuito che ormai l'ultima ricerca che si poteva fare era quella su quel senso di crollo avvenuto e di sconfitta, una sconfitta in cui pareva coinvolta, con tutto, la forma stessa. Bisognava esplorare, insomma, anche il processo degenerativo; vedere che cosa potesse essere, di là dalla 'grazia', l' 'antigrazia'; affrontare fino in fondo e dentro la forma l'angoscia e il dubbio esistenziale. La forma pareva incarnarsi in Michelangelo (e il Pontormo accettò allora di realizzare due suoi cartoni, n. 115-116), e l'ultimo periodo del Pontormo risulta perciò una critica, una emulazione contraddittoria e temeraria del michelangiolismo. Studiando nel 1532-34 i *Nudi che giocano al calcio* per Poggio a Caiano (n. 118), egli per esempio disegna un giocatore atterrato e sgambettante che, come ben lo definì Berenson, non è che una "caricatura" urtante del nobile *Tizio* che recentemente (1532) il Buonarroti aveva disegnato per Tommaso Cavalieri. Altrove, nello studio per due nudi affrontati della stessa partita, crea iperboliche curve di torsi ormai senza verosimiglianza fisica, troppo pieghevoli, come se internamente disossati. Nei lavori eseguiti per la loggia di Careggi nel 1535-36 (n. 122) dovette essere abbastanza decorativo; però un disegno contemporaneo per le *Tre Grazie* ce le mostra defemminizzate (senza seni, con pochi fianchi e gambe muscolose), con la catena delle braccia che improvvisamente si spezza. Il Pontormo dovette guardare in quel momento al Botticelli (la *Primavera* era a Castello), ma per ricavarne questa dissonanza inquietante. Nella loggia di Castello (1537-43;

n. 124), le "femminone" dovevano risultare, nel loro michelangiolismo contorto, quasi sconcio, urtanti; tutt'al più, una di esse, di un morboso fascino ermafroditico. Anche nei ritratti, a parte l'orgogliosa aristocraticità della *Dama* di Francoforte (n. 117), avvertiamo un senso di allentamento che dà un certo romanticismo perfino al dissoluto duca Alessandro (n. 119); o rende pendule le mani, ansiosi gli sguardi, nobili ma come fragili gli invasi ovoidi dei busti (n. 125-126).

Le esperienze moderne ci hanno abituato alla 'follia' e al 'suicidio' dell'arte, ma il gusto del Cinquecento, nonostante tutte le crisi di quel secolo, reagiva a chi forzasse la 'bella maniera' tanto da farla risultare 'antimaniera' troppo abnorme e non piacevole. Non piacquero perciò i cartoni per arazzi di 'storie' di s. Giuseppe (1545-46c.) forniti dal Pontormo (n. 130-132); non piacque il coro di S. Lorenzo (n. 133), in cui spese l'ultimo decennio di vita (1546-56). Se guardiamo dal disegno la raffigurazione principale con il *Cristo giudice in gloria e la Creazione di Eva* (si veda alla foto 133 B¹), cogliamo subito l'evidente differenziazione da Michelangelo, specie dal Michelangelo del *Giudizio* nella Cappella Sistina che il Pontormo dovette recarsi a studiare appositamente a Roma. Questa differenziazione consiste essenzialmente nell'eliminare gli accenti di forza attiva e la chiarezza distintiva dei principi. Mentre il Cristo michelangiolesco, difatti, è una figura estremamente titanica colta in scorci frontali e che fulmina con la destra levata, nel disegno del Pontormo il Cristo ha il corpo abbandonato del deposto dalla croce o della Pietà (ed è infatti ripreso dalla *Pietà* di Michelangelo per Vittoria Colonna), ma ora vivente e librato da una forza mediánica come se fosse seduto; e il gesto benedicente della mano sinistra verso la *Resurrezione dei corpi* (che era la questa parte del coro) è appena accennato, solo impercettibilmente più alto che nell'altro braccio; inoltre l'aggetto frontale viene attenuato piegando le gambe verso sinistra, mentre il volto risulta assorto in se stesso e indecifrabile. La superficie dei corpi si presenta non plastica ma sgusciante sotto la presa tattile, la stratificazione dei piani non è troppo chiara. Si aggiunga che ai piedi del Cristo giudicante si svolge la Creazione di Eva, il che — seppure si tratti in fondo di un'alfa e omega — riusciva incomprensibile al Vasari. Molto studiate erano certo le varie scene, in variati formalismi verticali: intravediamo dai disegni la corporale brutalità dell'*Uccisione di Abele* (n. 133 D¹); la tenaglia delle braccia con cui *Mosè riceve le leggi* (n. 133 F¹); i contrapposti di *Adamo* (un primo uomo già folle) *ed Eva al lavoro* (n. 133 I¹); le flessioni di *Adamo ed Eva espulsi* (n. 133 A¹) da un angelo sgambettante. Si ha il senso di un tragico involuto e artificioso che ricerca anche il decorativo; ma poiché l'ossessione finisce per evocare fatalmente anche la radice del suo tormento, ecco che il Pontormo — tanto timoroso, attestano i contempora-

3   **4**   **5**

nei, della morte, e che tuttavia già aveva dipinto un'impressionante *Resurrezione di Lazzaro* (n. 110) — nella storia del *Diluvio* (n. 133 J¹) e della *Resurrezione dei corpi* (n. 133 O¹) creava cataste di cadaveri, quasi a distruggere ormai perfino l'individualità stessa delle figure nelle orride masse di morti frammisti e ammucchiati. Il coro di S. Lorenzo fu così la Sistina negativa, un michelangiolismo del passivo, del contraddittorio, dell'enigmatico, della depressione, della solitudine, dell'alterazione e del disfacimento. Non dubitiamo che l'opera, come scrive il Vasari, disorientasse e ispirasse una terribile malinconia. Nella sua esplorazione sentimentale e figurativa, il Pontormo, partendo dal classicismo, era arrivato fino a tanto: dalla bellezza formale al deformato e deforme, dalla sintesi certa e possente alla dissociazione nel dubbio fino al senso della morte e del nulla. Però la vita séguita e gli uomini vogliono dimenticare queste escatologie amare e nichiliste; e la vita seguitava nella Firenze che Cosimo I andava foggiando a capitale granducale. Il Bronzino, scolaro del Pontormo, dipingeva in un incorruttibile preziosismo i membri della famiglia ducale, i suoi nuovi rampolli, l'aristocrazia della città; il Vasari, con arte non eccelsa, riempiva senza tanti "fastidi di mente" Palazzo Vecchio di allegorie, storie medicee. Cellini scolpiva con raffinata preziosità oreficesca; arrivava il giovane Giambologna;

si alzavano le nuove monumentali e belle costruzioni di Vasari e Ammannati. L'arte italiana del Cinquecento appariva nel suo complesso ancora florida, sicura di sé, ammirata dagli stranieri, allietante e piacevole. Il Pontormo, si diceva a Firenze, si era troppo "travagliato il cervello", si era troppo "avviluppato", era stato un ipocondriaco e un malinconico. Certo anch'egli aveva concorso a rendere sempre più formalmente preziosa quell'arte con le sue trovate insolite, e lo riconosceva dopo il Vasari anche il Bocchi [1591], notando che purtroppo però, anche nel coro di S. Lorenzo c'erano degli ottimi formalismi, mancava "l'ottima imitazione". La vita infatti alla lunga ama vedere riflettere se stessa, e non specchi troppo amaramente deformati e dove si affacci la morte. Il coro di S. Lorenzo in futuro non sarebbe stato un luogo troppo ammirato. Nel 1738 quelle pitture andarono distrutte, e il gesuita padre Richa così commentò: "Non ci dispiaccia di veder[le] tolte via in occasione di dover fare alcuni archi, ed altri risarcimenti [...] una tal perdita non è da piagnersi".

1. ANNUNCIAZIONE

tv 1508c

Dipinta dal giovanissimo Pontormo, quando stava in bottega con l'Albertinelli, per un amico sarto; l'Albertinelli ne era orgoglioso, e Raffaello, vedutala durante il soggiorno fiorentino,

ne trasse grandi auspici per l'esordiente. Mancano ulteriori notizie sull'opera.

2. CRISTO MORTO E DUE PROFETI

tv 1512-13c

Costituiva la predella, oggi scomparsa, dell'*Annunciazione* di Andrea del Sarto eseguita per i frati di S. Gallo, e attualmente conservata nella Galleria Palatina. Vi collaborò anche il giovane Rosso. La tentata identificazione con la predella di Dublino (n. 44-52) non ha ottenuto consensi presso la critica recente.

3. LEDA. Firenze, Uffizi

ol/tv 55×40 1512-13(?)

Già esposta nella Tribuna degli Uffizi nel 1589, ma senza precisa attribuzione; in seguito, variamente riferita ad Andrea del Sarto, Pontormo, Perin del Vaga. Non accolta da Clapp [1916] come Pontormo, lo fu però dalla maggior parte della critica — da Goldschmidt [*Pontormo, Rosso und Bronzino*, 1911] in poi fino a Salvini [*Uffizi*, 1952] e Berenson [1953] — come opera molto giovanile, sotto influenza leonardesca. Dubbioso il Berti alla mostra del 1956, indirizzando semmai verso il Bachiacca o il Puligo, e concludendo ["BA" 1966] dopo il restauro (il quadro fu tra quelli sfregiati nel 1965 agli Uffizi) per il Puligo nel periodo successivo alle 'storie' Borgherini del Pontormo (n. 40-43), cioè dopo il 1519. Anche Forster [1966] esclude l'opera dalla

produzione del Pontormo. È stata riesposta nella Tribuna riordinata [*Mostra storica della Tribuna degli Uffizi*, 1970].

Metamorfosi degli dei

Per le istituite compagnie del Broncone e del Diamante, facenti capo rispettivamente a Lorenzo di Piero e a Giuliano de' Medici, il Pontormo dipinse i pannelli dei carri di trionfo per le feste di carnevale del 1513 (non 1515). I carri del Broncone erano sette, e vi avevano lavorato il Pontormo e B. Bandinelli; quelli della compagnia del Diamante erano invece tre, dedicati alle età dell'uomo (Puerizia, Virilità, Senilità), e vi avevano collaborato come 'architetti', tra l'altro, Andrea del Sarto e Andrea di Cosimo Feltrini. Essi recavano inoltre episodi di metamorfosi degli dei eseguiti anch'essi dal giovane Pontormo, "in diverse storie di chiaro scuro [...] le quali oggi sono in mano di Pietro Paulo Galeotti orefice eccellente" [Vasari]. La commissione al giovanissimo Pontormo di tutte queste pitture è significativa, e si dové probabilmente alla protezione del Sarto e del Feltrini. Shearman ["BM" 1962] ha ritrovato due di tali pannelli, che costituiscono così la prima testimonianza sicura per ora nota degli inizi del Pontormo, mostrando un fare stilistico delicato ma sensibile, collegabile per l'agile nervosità a Piero di

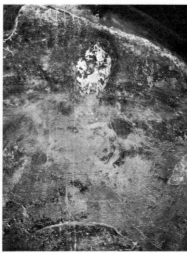

6

8

9

Cosimo e all'Albertinelli, oltre che ad Andrea del Sarto [Berti, 1965]. I pannelli sono pervenuti alla Kress dalla collezione Cook. Forster [1966] li esclude invece una tarda derivazione dal Pontormo.

4. APOLLO E CUPIDO. Lewisburg (Pennsylvania), Bucknell University (Kress)

tl 61×46,5 1513

5. METAMORFOSI DI DAFNE. Brunswick (Maine), Bowdoin College Museum of Art (Kress)

tl 60,5×46,5 1513

La drammatica figura della Dafne fuggente, con la bocca aperta in un urlo di terrore, sembra anticipare il fanciullo in fuga del Caravaggio nel *Martirio di s. Matteo* in S. Luigi dei Francesi a Roma.

6. FEDE E CARITÀ. Firenze, Gallerie (depositi)

af 430×500 1513-14

Si trovava originariamente intorno allo stemma di Leone X sul portico della SS. Annun-

debutto pubblico del Pontormo diciannovenne — preceduta però dai pannelli dei carri del carnevale 1513 (n. 4-5) —, cui la commissione sarebbe stata ceduta da Andrea di Cosimo Feltrini, che non si sentiva di affrontare le figure; e, sempre secondo il Vasari, avrebbe suscitato la gelosia di Andrea del Sarto, e motivato un grande vaticinio da parte di Michelangelo: "Questo giovane sarà anco tale, per quanto si vede, che, se vive e seguita, porrà quest'arte in cielo". Nella "maniera nuova" ammirata dal Vasari — mentre altre fonti [Bocchi-Cinelli, 1677] insistono pure nelle lodi e parlano di "colorito sfumato, dolce" — concorrono sia un ascendente michelangiolesco, ravvisabile ancora nella forte figura della Fede con il putto accanto (accostabile alla *Madonna* di Bruges e al tondo Pitti del Buonarroti), sia una particolare nuova sensibilità, come attesta quel che si intravede dei fanciulli dinamici (forse con certe derivazioni da Andrea di Cosimo Feltrini [Thiem, "ZK"

10

11

12

13

14

15

16

17

ziata, allora semplicemente costituito da un'arcata a protiro. Già in cattive condizioni nel secolo XVIII, quando il Gaburri ne chiedeva inutilmente il restauro, l'affresco è stato 'strappato' in condizioni ormai disperate solo nel 1955, e pertanto risulta scarsamente leggibile (*in loco* sono ora rimasti i resti, rinforzati di colore, dello strappo). Tuttavia lo si può decifrare con l'ausilio delle descrizioni antiche, individuando a sinistra la Carità con un fanciullo in collo e un altro seduto vicino, con la destra sulla spalla di lei (ammirato questo dal Bocchi [1591] in quanto "da alto guarda in giù, ed affacciatosi ad una sponda, sembra per l'altezza grande, di haver timore di cadere"); a destra, la Fede con un libro e, pare, un fanciullo accanto, mentre due altri in volo fiancheggiavano, recando "un panno", l'arme del pontefice mediceo scolpita in pietra, e dorata da Andrea di Cosimo Feltrini. I documenti di pagamento [Clapp, 1916; Shearman, "BM" 1960] vanno dal novembre 1513 al giugno 1514 (saldo). L'opera costituì, secondo il Vasari, il

1961]); e si tenga presente la descrizione del Bocchi, relativa al bimbo affacciato e come timoroso di vertigine.

7. ARME DI PAPA LEONE X

af 1514c

Recava lo stemma e due putti, e fu eseguita su una porta sulla strada maestra di Pontorme. Era già "poco meno che guasta" ai tempi del Vasari.

'Storie' del carro della Moneta

Si tratta dei pannelli che decoravano il carro della Moneta, di proprietà della corporazione della Zecca – e architettato da Marco del Tasso —, "che va ogni anno per S. Giovanni [la festa del santo patrono fiorentino, il 24 giugno] a processione"; carro che fu però disfatto nel 1810. I dipinti, attualmente in Palazzo Vecchio a Firenze, comprendono, oltre a quelli presentati qui di seguito, quattro 'storie' del Battista, e altre sei tavole con *Putti*, ma o sostituite più tar-

18 [Tav. I-II]

19 [Tav. III]

di a quelle originali del Pontormo [Cox Rearick, 1964] o tremendamente ridipinte. Anche i pannelli che risultano autografi hanno assai risentito delle ridipinture posteriori; comunque vi si legge ancora il lavorio di una sensibilità sottile, che accoglie ispirazioni da Mariotto Albertinelli (nella *Visitazione*), da fra' Bartolomeo (il gesto enfatico del *Battista*, del resto di ascendenza leonardesca), da Andrea Sansovino (nel *Battesimo*), e ancora da Iacopo Sansovino, Raffaello, Andrea del Sarto. Il *S. Giovanni Evangelista* si ispira addirittura all'*Abramo e Isacco* eseguito da Donatello per il campanile di Giotto. Datati 1515 da Clapp, tuttavia tornano meglio nel 1514 [Berti, 1956], anzi nella prima metà di quell'anno avanti la festa di S. Giovanni [Cox Rearick, 1964].

8. VISITAZIONE. Firenze, Palazzo Vecchio

ol/tv 69×53 1514

9. BATTESIMO DI CRISTO. Firenze, Palazzo Vecchio

ol/tv 69×53 1514

11. S. GIOVANNI EVANGELISTA. Firenze, Palazzo Vecchio

ol/tv 69×40 1514

12. S. MATTEO. Firenze, Palazzo Vecchio

ol/tv 69×40 1514

13. S. ZANOBI. Firenze, Palazzo Vecchio

ol/tv 69×40 1514

14-17. PUTTI. Firenze, Palazzo Vecchio

ol/tv ciascuno 32×45 1514

18. EPISODIO DI VITA OSPEDALIERA. Firenze, Galleria dell'Accademia

af 91×150 1514

Decorava una parete del salone dell'Accademia, che corrisponde alla corsia delle donne dell'antico ospedale di S. Matteo; al momento dello stacco, nel 1856, risultò già 'strappato' in antico [Baldini, *Affreschi di Firenze*, 1971]. Probabile che si tratti di un affresco votivo da parte di qualche risanata [Forster, 1966]; nel narrato si mescolano la raffigurazione dell'ospedale, atti di carità (la lavanda dei piedi) e presenze di sante benefiche (indicate dalle aureole). Considerato dapprima di Andrea del Sarto [Guiness, *Andrea del Sarto*, 1899], anzi sua opera giovanile, fu riconosciuto al Pontormo da Gamba ["RIA" 1904] e Berenson [1906]. Datato da Clapp [1916] intorno al 1513, ma meglio riferibile al 1514 [Berti, 1956] per l'affinità stilistica alle pitture del carro della Moneta (n. 8 - 17) e per certi motivi (per esempio il bacile e le ciabatte abbandonate a sinistra), possibili reminiscenze dalla *Natività della Vergine* (1514) di Andrea del Sarto alla SS. Annunziata [Freedberg, 1961]. Circa il 1514 concorda la Cox Rearick [1964], mentre Forster [1966] si attiene al 1513-14. L'opera interessa non solo come preludio alle 'storie' Borgherini (n. 40-43), ma per il tono fondamentalmente realistico e dimesso, pur nel classicismo, con cui è presentato l'interno ospedaliero cinquecentesco, con le degenti; per la tecnica a tre soli colori (giallo, rosa, verde) in un accordo un po' acidulo ma vivi-

10. S. GIOVANNI BATTISTA. Firenze, Palazzo Vecchio

ol/tv 69×45 1514

Ne esiste un disegno preparatorio (Firenze, Uffizi, n. 6581 Fv; foto 10¹).

21

21¹

do, con l'uso della terretta verde per le figure; e per la mobilità guizzante conferita alle figure stesse, tracciate con segno arguto e asciutto.

19. SACRA CONVERSAZIONE. Firenze, SS. Annunziata

af 223×196 1514

Già nel 1823 l'affresco venne trasferito alla sede attuale, nella cappella di S. Luca, dalla chiesa di S. Raffaello (*vulgo* S. Ruffillo) — dove si trovava sull'altare laterale di destra — quando l'edificio fu abbattuto. Si perse però allora la lunetta superiore con *Dio Padre e serafini*, citata dal Vasari. Il trasferimento venne effettuato con la tecnica del taglio completo del muro, abilmente armato per il trasporto; e quando, dopo l'alluvione di Firenze, si è provveduto (1967) allo strappo, sotto la stesura del Pontormo è stata rinvenuta [Baldini, *Affreschi di Firenze*, 1971] una sinopia di stile più antico, recante pure la Madonna e quattro santi (tra cui lo stesso s. Michele Arcangelo; mentre a destra appare, invece di s. Zaccaria, un s. Alessio), sebbene di disegno e di composizione del tutto diversi, prossimi a Raffaellino del Garbo. Non pare verosimile però che, non avvenendo la traduzione in affresco, tale sinopia rimanesse per lungo tempo a fungere comunque da pittura (e perciò se ne colorassero di giallo le aureole); non è necessario infatti datare la sinopia sulla fine del Quattrocento, mentre può essere benissimo di quindici anni più tarda. In ogni modo il Pontormo eseguì sopra, non più a sinopia ma a cartone (di cui si vedono bene le linee d'incisione), la nuova *Sacra Conversazione*, che raffigura, con la Madonna e il Bambino, i santi Lucia, Agnese (?), Zaccaria, Michele Arcangelo. Clapp datava l'affresco al 1513, e ancora al 1513-14 Forster [1966]; ma appare più convincente l'ipotesi che sia stato commissionato al Pontormo solo quando questi, con il successo ottenuto con l'arme dell'Annunziata (n. 6), si rese indipendente da Andrea del Sarto. Circa il 1514 concorda anche la Cox Rearick [1964], mentre Shearman ["BM" 1962] ritarda anche fino al 1515. L'analisi culturale rivela, come

20

ha notato Freedberg [1961], una combinazione della rotonda eloquenza di fra' Bartolomeo con la sensibilità più tenera e vivida di Andrea del Sarto; ma il giovane Pontormo provvede a stringere la composizione entro uno spazio molto ridotto, e a impostare in una simmetria a sensibili contrapposti, con continuo movimento ritmico, figure erette o inginocchiate, frontali o di spalle, oppure avvitantisi come la Madonna e il Bambino. Si rileva inoltre un tono più intimo che nel classicismo, e sentimentalmente più acuto: la s. Lucia che ci guarda, elevando il piatto su cui poggiano i suoi occhi martirizzati; l'altra santa in estasi, quasi preannuncio del Bernini; la Madonna a colloquio di sguardi con l'arcangelo appassionato

24 [Tav. VI]

che regge le bilance, mentre il Bambino pare reagire scontroso al protendersi ginocchioni del s. Zaccaria. L'affresco ha guadagnato dalla recente pulitura, che per esempio ha liberato da una ridipintura il manto della Madonna. Disegni preparatori sono a Dresda e agli Uffizi [Cox Rearick, 1964].

20. RITRATTO FEMMINILE. Firenze, Pitti

ol/tv 41×33 1514c(?)

Proviene dagli appartamenti reali di palazzo Pitti. Già attribuito ad Andrea del Sarto, è stato riferito al Pontormo da Berenson [1932] e Gamba [*Contributo alla conoscenza del Pontormo*, 1956], quest'ultimo datandolo ai primi tempi dell'alunnato presso il Sarto. Dubbioso il Berti [1964], che ha poi notato ["BA" 1966] lo sfumato ancora assente nella ritrattistica fiorentina di derivazione raffaellesca, e quindi forse già ispirato dalla *Lucrezia del Fede* di Andrea del Sarto (1514c) al Prado, non escludendo però la possibilità di altri autori, come il Puligo. Taciuto dalla Cox Rearick e da Forster.

89

25 [Tav. V]

26-34 [Tav. IV]

21. MADONNA CON IL BAMBINO. Firenze, Gallerie (depositi)

ol/tv 64×50 1514c

Già in deposito al Poggio Imperiale, fu attribuita e presentata dal Berti alla mostra del 1956, indicandone il disegno preparatorio nel Gabinetto Nazionale delle Stampe di Roma (F.N. 2943r; foto 21[1]). Stilisticamente è assai vicina alla *Sacra Conversazione* di S. Ruffillo (n. 19), e quindi databile analogamente. Accolta dai recensori dell'esposizione [Sanminiatelli, "BM" 1956; Oertel, "KC" 1956] e da Berenson [1963], è stata invece dalla Cox Rearick [1964], seguita da Forster [1966], giudicata copia da un originale perduto o derivazione dal disegno. Il Berti ["BA" 1966] ha replicato sostenendo invece l'autografia, sia per la qualità fresca e non meccanica, e la soluzione variata rispetto al disegno; sia tra l'altro per l'improbabilità che un'opera giovanile e ancora acerba del Pontormo venisse copiata.

22. CRISTO PELLEGRINO

af 1514c

Eseguito a monocromo per la porta d'ingresso dell'ospedale delle Donne, già sito tra piazza S. Marco e via S. Gallo a Firenze, di fronte al convento di S. Caterina. Andò distrutto in rifacimenti del 1688.

23. ARME CON DUE PUTTI

af 1513-15(?)

Dipinta per Bartolomeo Lanfredini in un andito su una porta, nel suo palazzo sul Lungarno. Bronzino testimoniava al Vasari che si trattava di una "delle prime cose Jacopo facesse", mentre il Vasari l'avrebbe creduta posteriore alla pala Pucci (n. 53).

24. S. SEBASTIANO. Digione, Musée des Beaux-Arts

ol/tv 65×48 1515c

Già attribuito al Rosso Fiorentino da Berenson, Clapp, Kusenberg, poi riferito dalla Barocchi [*Il Rosso Fiorentino*, 1950] alla scuola del Pontormo, quindi da Shearman e Freedberg a quella di Andrea del Sarto. Infine è stato presentato come possibile Pontormo alla mostra "Le XVIe Siècle européen" (Parigi, 1965), e accettato pienamente come autografo, dopo la pulitura, da Shearman ["BM" 1966] e dalla Cox Rearick ["MD" 1970], che ha pubblicato anche un possibile disegno relativo agli Uffizi. Generalmente datato intorno al 1515-16, mentre è forse preferibile collocarlo prima della *Visitazione* (n. 35).

Un'altra versione comparve alla vendita Ramsden del 1932.

Decorazione della cappella del Papa

Per la venuta di papa Leone X de' Medici a Firenze (il pontefice si trattenne nella città natale, tranne l'intervallo del suo incontro a Bologna con Francesco I di Francia, dal 30 novembre 1515 al 19 febbraio dell'anno seguente) ci furono solenni onoranze con la costruzione di archi trionfali cui col-laborarono i migliori artisti, tra i quali il Pontormo, che dipinse "bellissime storie" nell'arco di via del Palagio, ben presto perdute tranne una con *Pallade e Apollo* che si conservava ancora al tempo del Vasari. Nella cappella in S. Maria Novella, "dove aveva ogni mattina a udir messa Sua Santità" [Vasari], la decorazione fu prima affidata a Ridolfo del Ghirlandaio, di cui resta l'*Incoronazione della Vergine* sul lato opposto alla porta; ma poi da questo per mancanza di tempo ceduta al Pontormo, che realizzò rapidamente sia figure di *Putti* nella volta — il sistema decorativo di questa, come anche delle pareti, è invece di Andrea di Cosimo Feltrini [Thiem, "ZK" 1961] — sia la lunetta con la *Veronica*. I lavori devono essere stati compiuti per l'arrivo del papa nel novembre 1515. Il padiglione della Veronica deriva [Freedberg, 1961] dal recente *Matrimonio mistico di s. Caterina* del Sarto (Dresda), ma si ritrova anche in Raffaello e fra' Bartolomeo; mentre la torsione e la 'terribilità' della figura è michelangiolesca; né manca una certa teatralità nella figurazione, in cui il Pontormo sembra anticipare l'eloquenza sacra seicentesca.

25. LA VERONICA. Firenze, S. Maria Novella

af 307×413 1515

Notevole il colore caldo e con cangiantismi, che nei putti

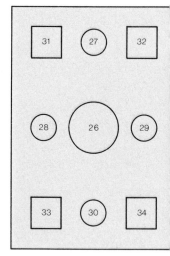

Grafico relativo agli affreschi nel soffitto della cappella del Papa (i numeri si riferiscono a quelli dei singoli elementi affrescati secondo la presente catalogazione).

dai volti arrossati preannuncia il Rosso Fiorentino.

26. DIO PADRE. Firenze, S. Maria Novella

af diam 120 1515

27-30. PUTTI CON STRUMENTI DELLA PASSIONE. Firenze, S. Maria Novella

af diam 60 1515

31-34. PUTTI E STEMMI DI LEONE X. Firenze, S. Maria Novella

af 75×75 1515

Disegni relativi sono agli Uffizi [Cox Rearick, 1964].

35 [Tav. VII-VIII]

35. VISITAZIONE. Firenze, SS. Annunziata

af 392×337 1514-16

Commissionata da un maestro Iacopo frate servita, è documentata nei pagamenti [Clapp, 1916; Shearman, "BM" 1960] dal dicembre 1514 al giugno 1516, ma fu forse terminata per la consacrazione della SS. Annunziata il 17 gennaio 1516. Vasari testimonia il gran desiderio del Pontormo di operare, in concorrenza con gli altri maestri (Andrea del Sarto, Franciabigio), nel chiostrino della SS. Annunziata, e l'impegno (e quindi il tempo) messo nell'opera. Partendo da uno schema classico di fra' Bartolomeo (pala Pitti, 1512), il Pontormo lo svolge con una struttura piramidale molto più variata di figure — che fa capo alla testa della Vergine —, inserita però nel cerchio, ambientando il mosso gruppo entro un'esedra sobriamente solenne. Lo stesso Wölfflin [Die klassische Kunst, 1899], che non stimava molto il Pontormo, esaltò i requisiti di classicismo dell'opera, in cui il Vasari vedeva una "maniera un poco più ariosa e desta", oltre ad "altre infinite bellezze" e morbidezze cromatiche, specie nel putto seduto. Indubbio però un intellettualismo che fa cadere, rispetto alle precedenti raffigurazioni del Sarto, "ogni termine di racconto, di cronaca, di costume" [Borea, "AC" 1965], per procedere in un puro spazio figurativo, con un'inquietudine anche compositiva che preannuncia il manierismo. Distaccato e restaurato nel 1958, l'affresco è stato ricollocato in loco.

Disegni relativi sono agli Uffizi e a Berlino [Cox Rearick, 1964], oltre che a Budapest e nella collezione Chigi-Saracini di Siena [Cox Rearick, "MD" 1970].

36. DAMA CON CESTELLO DI FUSI. Firenze, Uffizi

ol/tv 76×54 1516c

36 [Tav. IX]

39 [Tav. X]

Pervenne nel 1773 da palazzo Pitti. Prima riferita al Bachiacca o ad Andrea del Sarto, fu assegnata al Pontormo da Gamba [1921], seguito da tutta la critica a eccezione di Berenson, che l'ha ascritta al Puligo [1963]. Sottaciuta dapprima dalla Cox Rearick [1964], l'attribuzione al Pontormo è stata ribadita da Berti ["BA" 1966] e Forster [1966], che propone la data 1517; risulta accolta recentemente anche dalla Cox Rearick [1970]. Il Berti [1966], considerando il particolare della grande manica in primo piano, la camicia pieghettata e la collana, ha supposto una possibile conoscenza della Velata di Raffaello (Firenze, Pitti), vista dal Pontormo in un suo presumibile viaggio a Roma intorno al 1515 o poco dopo. Certamente pontormesco è lo sguardo piuttosto inquieto degli occhi dalle orbite fonde; e inoltre quel tono più intimo e psicologico in cui viene trasferita l'immagine, rappresentando la dama con il suo cestello da lavoro, intorno a cui si collocano le mobili mani dislocate in un angolo in basso del dipinto. Singolari la luce bionda e i toni di miele, nell'accordo cromatico fulvo e nello sfumato di tipo fiorentino. La data dovrebbe cadere poco dopo l'affresco all'Annunziata (n. 35) e un po' prima del ritratto di Cosimo il Vecchio (n. 58).

37. MADONNA CON IL BAMBINO

ol/tv 71×53 1517-18c

Già in collezione Ferroni e poi Frascione, fu presentata pubblicamente alla mostra del 1956, e accolta da Berti [anche 1964], Sanminiatelli ["BM" 1956], Marcucci [La maniera del Pontormo, 1957]. Secondo Oertel ["KC" 1956] e la Cox Rearick, è solo una copia da originale perduto o una derivazione, ma la figura del putto seduto ha forza inventiva e stilistica (per la testa in scorcio e a bocca socchiusa si confronti la s. Agnese nell'affresco di S. Ruffillo [n. 19]), e presenta affinità con gli studi condotti per la pala Pucci (n. 53); né si constata debolezza di esecuzione. La escludono comunque anche Berenson [1963] e Forster [1966]. È stata ripubblicata da Longhi ["P" 1969] con riferimento alla "prima giovinezza del Pontormo".

38. S. QUINTINO. Sansepolcro, Pinacoteca Comunale

ol/tv 163×103 1517-18c

Destinato alla chiesa di S. Francesco di Borgo Sansepolcro, era stato iniziato da Giovanmaria Pichi, uno scolaro del Pontormo appunto nativo di Sansepolcro, ma poi il Pontormo intervenne per aiutarlo e praticamente lo eseguì per intero [Vasari]. Da notare la meticolosa descrizione, già quasi controriformistica, della gogna del martirio, mentre risulta piuttosto insensibile al tormento il nudo atteggiamento della vittima, ancora alla fra' Bartolomeo. Nel fondo, il viandante calvo a sinistra si collega con le 'storie' Borgherini (n. 40-43); e a destra l'albero scheletrico, con l'altro viandante che addita il santo, è elemento nordico: l'albero però indica anche un certo ricordo del vecchio maestro del Pontormo, Piero di Cosimo. Clapp [1916] proponeva inverosimilmente la data 1526, mentre quella più comunemente accolta è tra il 1518 e il '20; per Forster [1966], 1518.

39. RITRATTO DI GIOIELLIERE. Parigi, Louvre

ol/tv 69×50 1517-18c

Proviene dalla collezione di Luigi XIV, dove almeno sin dal 1683 risulta attribuito al Pontormo; il solo Berenson lo ha supposto, non convincentemente, del più debole e vaporoso Puligo [1963]. Si è proposta l'identificazione con Giovanni delle Corniole (1470-1516), famoso intagliatore di gemme, e ciò ha indotto Clapp a non ritardare la data del ritratto al di là della morte dell'effigiato,

37

cioè al 1516; ma la figura appare più giovanile. Si può pensare allora, in via del tutto ipotetica [Berti, 1966], a due altri incisori di gemme fiorentini: Michelino di Paolo Poggini, nato dopo il 1487 e che nel 1518 lavorava per Lorenzo duca d'Urbino; e Domenico di Polo, nato dopo il 1480. Palese

38 [Tav. XI-XII]

40

41

42

42¹

la dipendenza dal *Ritratto di giovane* di Andrea del Sarto alla National Gallery di Londra [Shearman, *Andrea del Sarto*, 1965], ma alla sfaccettatura di volumi del volto di larga ossatura sotto il cappello a tricorno, qui si uniscono lo sguardo tormentato e il gesto teso, come nella pala Pucci (n. 53), in senso opposto alla testa. Secondo Berti [1956], può essere datato intorno al 1518; per Forster [1966], invece, al 1516-17, e per una data piuttosto precoce sembra inclinare anche la Cox Rearick; Shearman propone il 1518-19. La forza stilistica è però quella del momento della pala Pucci, e non della *Visitazione* (n. 35).

'Storie' di Giuseppe della camera Borgherini

Alla famosa camera nuziale di Pier Francesco Borgherini, nel palazzo di famiglia di borgo SS. Apostoli a Firenze, lavorarono in gara per dei pannelli Granacci, Andrea del Sarto, Bachiacca, Pontormo, mentre Baccio d'Agnolo forniva il mobilio. Il Pontormo dipinse 'storie' di Giuseppe — tema stabilito anche per gli altri pittori — a ornare due cassoni e una cantonata a sinistra (?). Ammiratissime, le 'storie' furono ricercate da Giovanbattista della Palla (a proposito di tale personaggio, si veda La Coste-Messelière, "O" 1965) — al tempo dell'assedio di Firenze, mentre il Borgherini era in esilio a Lucca — per inviarle a Francesco I di Francia; ma madonna Margherita, moglie del Borgherini, difese fieramente l'integrità della sua camera nuziale [Vasari]. Nel 1584, però, Niccolò di Giovanni Borgherini vendeva a Francesco I de' Medici le 'storie' del Granacci e di Andrea del Sarto, ora rispettivamente agli Uffizi e a Pitti, e quindi il complesso andava smembrandosi. La 'storia' di Londra (n. 43), che è firmata dal Pontormo, passò più tardi in proprietà di G. G. De Rossis, e poi fu acquistata nella vendita della proprietà del duca di Hamilton nel 1882. I tre altri pannelli del Pontormo furono acquista-

43 [Tav. XIII-XVI]

ti nel secolo XVIII da Lord Cowper a Firenze; passarono quindi per eredità nella collezione di Lady Desborough a Pashanger e poi in casa Salmond. Già attribuiti ad Andrea del Sarto, furono restituiti al Pontormo da Cavalcaselle (i n. 41 e 42) e da Clapp (il n. 40). Molto discussa, ma entro brevi termini, la cronologia, come si riassume qui di seguito. Clapp [1916] data i dipinti di Lady Salmond (n. 40-42) al 1517-18, e quello di Londra (n. 43) al 1518-19; Berenson li considera comunque posteriori al 1515; Freedberg [1961] e la Cox Rearick [1966] riferiscono il n. 40 al 1515-16 (1515 è la data delle nozze del

Borgherini con la Acciaioli), il n. 41 al 1516, il n. 42 intorno al 1517 e il n. 43 al 1518 (secondo la studiosa, però, 1518-19c). Per Berti [1964] vale all'incirca la medesima cronologia, ma datando i n. 41 e 42 al 1517-18; ed è da tener conto che nella 'storia' di Londra (n. 43) è ritratto il Bronzino come un fanciullo seduto ai piedi delle scale: in tale effigie il pittore (nato alla fine del 1503) non supera certo i quindici anni, per cui si è forse al 1517-18. Anche a opinione di Forster [1964] quest'ultima 'storia' è del 1517-18, mentre i n. 41 e 42 sono del 1516-17. Per Shearman [*Andrea del Sarto*, 1965], invece, i n. 40-42 sono

del 1515-16; il n. 43, del 1517-18. In sostanza, l'esecuzione delle 'storie' è supposta avvenuta fra il momento precedente il compimento della *Visitazione* (n. 35) e quello successivo alla pala Pucci (n. 53). Tra i vari pannelli eseguiti per la camera Borgherini — quelli del Granacci, quelli superbamente pittorici del Sarto —, le 'storie' di lacopo si distinguono per una loro netta singolarità. Quel "macchiettismo" [Ragghianti] che allora doveva trovare particolare gradimento a Firenze — anche perché, fuori degli impegni classici del grande formato, si poteva muovere su un piano di più libera espressività, di più veritiera osservazione; e raccoglieva d'altronde la lunga e deliziosa eredità delle "cose piccole" nella pittura fiorentina, i cassoni, le predelle —, quel genere viene portato ancora una volta, nelle mani del Pontormo, a un punto estremo, in cui occorre già riconoscere la massima sottigliezza manieristica [Freedberg, 1961]. Ispirata dalle brulicanti stampe di Luca di Leida, c'è qui però una ben più complicata microcosmica episodicità, e uno studiatissimo calcolo di nuovi e strani effetti. Così nel *Giuseppe si rivela ai fratelli* (n. 40), condotto evidentemente per primo e con stacco stilistico dagli altri, lo schema triangolare e quello circolare del classicismo sono scissi invece che fusi, e le figurine 'filate' sottilmente: per certi motivi il Pontormo si è ispirato addirittura al Ghiberti. Nel *Giuseppe venduto a Putifarre* (n. 41), la catena di figure giunge ad attaccarsi fino alla porta al centro, tuttavia con brusche cesure, come nel giovane sgarbatamente piegato (al centro, in primo piano), e trapassi abbreviati nella distanza (si veda la figura ammantata al centro, che si presenta ormai lontana dalle antistanti). La tensione del ritmo prosegue continua fino in fondo: nelle due finestre, per esempio, diverse (quella a destra stranamente a oblò); mentre al pernio della statua i viandanti si incrociano in senso opposto. Nel *Supplizio del fornaio* (n. 42) la disposizione è invece su quattro gruppi ben distinti, scalati progressivamente in distanza e in altezza, con un ritmo a zigzag. Le teste, nei gruppi, appaiono disposte "a costellazione", come nota Tolnay. Infine nel *Giuseppe in Egitto* (n. 43) la complicazione e il movimento sono massimi, in una rappresentazione simultanea e piena di comparse in quattro 'luoghi deputati' (la scala antistante il palazzo, il terreno dove passa il carro trionfale stranamente tirato da tre fanciulli, il fondo con castelli nordici, e a destra lo spaccato dell'edificio cilindrico cui sale la scala in curva). Le statue, semivive (per il loro simbolismo si veda Wischnitzer, "GBA" 1953), richiamano dall'uno all'altro punto; le figure si addensano o si isolano; una forte emotività pervade tutto.

Disegni relativi sono, oltre che agli Uffizi, a Parigi, Lilla, Roma, Siena [Cox Rearick, 1964 e 1970; Forlani-Tempesti, "P" 1967].

40. GIUSEPPE SI RIVELA AI FRATELLI. Henfield (Sussex),

44

45

46

47

48

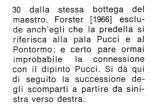

48¹

49

50

51

52

30 dalla stessa bottega del maestro. Forster [1966] esclude anch'egli che la predella si riferisca alla pala Pucci e al Pontormo; e certo pare ormai improbabile la connessione con il dipinto Pucci. Si dà qui di seguito la successione degli scomparti a partire da sinistra verso destra.

44. S. BARTOLOMEO
ol/tv 19×18

45. S. LORENZO
cl/tv 19,5×17,7

46. S. FRANCESCO
ol/tv 19,7×18,1

47. S. PIETRO
ol/tv 19,5×18,9

48. PIETA
ol/tv 19,5×47,8
Si pubblica qui (foto 48¹) il disegno n. 6689 Fr degli Uffizi.

93

49. S. BENEDETTO
ol/tv 19×18,7

50. S. ZANOBI
ol/tv 19,3×17,2

51. S. GEROLAMO
ol/tv 19,2×17,9

52. S. APOLLONIA
ol/tv 19,2×18,2

Salmond (in prestito a Londra, National Gallery)
ol/tv 35×142 1515-16

41. GIUSEPPE VENDUTO A PUTIFARRE. Henfield (Sussex), Salmond (in prestito a Londra, National Gallery)
ol/tv 58×50 1516-17

42. IL SUPPLIZIO DEL FORNAIO. Henfield (Sussex), Salmond (in prestito a Londra, National Gallery)
ol/tv 58×50 1517
Ne esiste un disegno preparatorio (Lilla, Musée des Beaux-Arts, n. 162r; foto 42¹).

43. GIUSEPPE IN EGITTO. Londra, National Gallery
ol/tl 44×49 1517-18

Predella di Dublino

I pannelli della National Gallery of Ireland di Dublino vennero acquistati a Roma nel 1864-65, provenienti dalla collezione Menichini di Perugia; i due pezzi (*S. Bartolomeo* e *S. Zanobi*) furono comperati per Warwick Castle nel 1867 dalla stessa fonte (di recente [1968] sono stati pure essi acquistati dal Museo di Dublino). Il gruppo delle otto tavolette, assegnate ad Andrea del Sarto da Crowe - Cavalcaselle, fu poi identificato da Lányi con la scomparsa predella dell'*Annunciazione* eseguita da Andrea del Sarto per S. Gallo, cui sappiamo dal Vasari che lavorarono il Pontormo e il Rosso giovani (si veda al n. 2).

La Sinibaldi ["A" 1925] per prima le aveva attribuite al Pontormo, collegandole con un certo numero di disegni degli Uffizi. L'ipotesi di Lányi, che pure aveva trovato seguito, venne scartata da Berti [1956], rilevando come le tavole in esame non rispondessero alla descrizione vasariana della predella di S. Gallo ("un Cristo morto con due angioletti che gli fanno lume con due torce, e lo piangono; e dalle bande in due tondi due profeti"), e datando i pannelli intorno al 1515-16. Freedberg e la Cox Rearick ["BM" 1961] collegavano quindi la predella alla pala Pucci, sia per le dimensioni (la pala, cm 185 di base; la predella, cm 182c), sia perché alcuni disegni (Parigi, École des Beaux-Arts; Firenze, Uffizi; Rotterdam, Museum Boymans-van Beuningen) si riferirebbero contemporaneamente alla pala e alla predella di Dublino. In un secondo tempo [1964] la Cox Rearick

pensò a un'esecuzione più tarda, di un anonimo, e solo parzialmente dai disegni del Pontormo, dubitando del collegamento stesso con la pala Pucci. Similmente Shearman [*Andrea del Sarto*, 1965] datava la predella almeno al 1530 per certe citazioni dal tardo Andrea del Sarto, e inclinava a supporla opera giovanile di Maso da S. Friano; ipotesi non condivisa dal Berti ["BA" 1966], che invece pensava a disegni del Pontormo ripresi nel 1528-

53. MADONNA CON IL BAMBINO E SANTI (Pala Pucci). Firenze, S. Michele Visdomini
ol/crt 214×185 d 1518
Stesa su tavola. Eseguita per Francesco di Giovanni Pucci (1437-1518), gonfaloniere della repubblica e partigiano mediceo; è datata 1518 nel masso su cui siede il s. Giovanni Evangelista. La raffigurazione di questo santo e di s. Francesco inginocchiato trova spiegazione nei nomi, rispettivamente, del padre del commit-

53 [Tav. XVII]

53¹

tente e di quest'ultimo; nel s. Iacopo è un probabile autoritratto del Pontormo sotto le spoglie del santo suo omonimo [Berti, *Sembianze del Pontormo*, 1957]. Nel secolo XVII la granduchessa Maria Maddalena tentò invano di ottenere l'opera, e anche questo, nonché un restauro condotto certamente sull'attuale dipinto nel 1823 da L. Scotti, è argomento contro una replica su tela, già in collezione Doetsch, che pretendeva di essere l'originale sostituito ai primi dell'Ottocento nella chiesa da una copia; mentre a giudizio di chi l'ha direttamente veduta, non era essa che una copia antica. Alla pala è stata recentemente collegata come probabile predella quella di Dublino (n. 44-52), ma l'ipotesi sembra da scartare. Ammirata dai contemporanei (Vasari la considera il capolavoro del Pontormo), la pala Pucci porta però a un punto di saturazione il metodo compositivo classico, con un equilibrio ormai precario e faticoso, per quanto studiatissimo, delle due parti simmetri-

56

che ma variatissime; con un continuo diramarsi e riannodarsi delle linee compositive, un gioco incessante di diagonali, torsioni, opposizioni. Le figure pertanto, anziché concordare classicamente, piuttosto si contraddicono (tra l'altro, voltandosi la testa); e psicologicamente i personaggi, nonostante i gesti e il *pathos,* risultano isolati in se stessi [Freedberg, 1961]. Il Pontormo è dunque già giunto a un punto limite e critico della sua prima maniera; anche nel chiaroscuro troppo denso che nuoce alla visione.

Vari disegni per l'opera — tra cui alcuni bellissimi — sono agli Uffizi e al Gabinetto Nazionale delle Stampe di Roma (qui pubblicato quello relativo all'assieme [F. C. 147r; foto 53¹]), oltre che a Rotterdam, Londra, Lilla, Napoli [Cox Rea-

59

rick, 1964]; nel secolo XIX, in palazzo Rinuccini esisteva lo studio per uno dei santi della pala.

54. ARME DEL CARDINALE GIOVANNI SALVIATI

af 1517-18

Recava il cappello rosso e due putti stanti. Dipinta nel cortile della casa di Filippo Spina a Firenze, in occasione dell'elezione a cardinale (1517) del Salviati, amico dello Spina.

55. COMPIANTO SU CRISTO MORTO

af 1518c(?)

Eseguito per una cappella presso l'orto dei frati di S. Gallo a Firenze, andò distrutto con quel convento. Raffigurava, oltre a Cristo, la Vergine dolente, due angeli, e ai lati s. Giovanni e s. Agostino.

56. MADONNA CON IL BAMBINO E S. GIOVANNINO. Varramista, S.A.P.I.

ol/tv 100×65 1518-19c

Già nella collezione Gino Capponi e poi Farinola in palazzo Capponi a Firenze. Venne assegnata al Pontormo da Morelli, seguito da Clapp — che la riferì al 1517-18 per l'affinità con la pala Pucci (n. 53) — e altri; e così fu accolta alla mostra del 1956, e poi ancora da Berenson [1963]. È stata invece respinta dalla Cox Rearick [1964] come un *pastiche*, ed esclusa anche da Forster [1966], mentre Berti è propenso a riconfermarla ["BA" 1966]. Si noti che si tratta di una composizione in cui riappare concentrata e invertita quella della *Carità* (1515c) di Andrea del Sarto nel chiostro dello Scalzo a Firenze, mentre vengono ripresi a evidenza motivi della pala Pucci (n. 53), con un'inventività però che non sembra da imitatore.

57. RITRATTO DI MUSICISTA [?]. Firenze, Uffizi

ol/tv 88×67 1518-19c

Proveniente dall'eredità del cardinale Leopoldo de' Medici, dove risultava indicato come ritratto dell'Ajolle (apprezzato musico, nato nel 1492, e che nel 1530 doveva trasferirsi in Francia) di mano di Andrea del Sarto. Venne riferito al Pontormo dal Gamba [1921] e l'attribuzione ha trovato generale seguito, concorde anche Shearman [*Andrea del Sarto*, 1965]. Nonostante la stretta vicinanza ai moduli ritrattistici del Sarto, parlano per il Pontormo la più introversa carica psicologica, la mano sgusciata e ovoide, il

57 [Tav. XVIII]

58 [Tav. XIX]

60

deciso colpo luministico che spartisce tra luce e ombra il volto. La cronologia non ha suscitato controversie e potrebbe essere precisata intorno al momento della *S. Cecilia* (n. 59). Keutner ["MKI" 1959] ha escluso che l'effigiato sia l'Ajolle, un cui ritratto esisterebbe invece, ma del Rosso (Washington). Ricordando che il Vasari cita in questo periodo un ritratto di mano del Pontormo di Giovan Antonio Lappoli (nato nel 1492), suo allievo che si dedicò in quel tempo anche alla musica (ritratto che, quando il Vasari scriveva, era ad Arezzo presso gli eredi del Lappoli), si potrebbe avanzare l'ipotesi che l'effigiato possa essere il Lappoli.

58. COSIMO IL VECCHIO DE' MEDICI. Firenze, Uffizi

ol/tv 86×65 1518-19c

Ricordato dal Vasari come dipinto per conto di Goro Gheri da Pistoia, quando questi era segretario di Lorenzo de' Medici; a seguito di quest'opera Ottaviano de' Medici avrebbe affidato al Pontormo la commissione per l'affresco a Poggio a Caiano (n. 67). Al tempo del Vasari il ritratto si trovava appunto presso Ottaviano, e poi presso suo figlio Alessandro (futuro papa Leone XI). Passò quindi agli Uffizi, ma per un certo periodo fu anche esposto nella cella di Cosimo a S. Marco, ritornando in Galleria nel 1912. Per il volto del granduca, il Pontormo si attenne all'iconografia di medaglie quattrocentesche; la Nicco-Fasola [1947] rilevava l'ascendente della ritrattistica tedesca, specie düreriana. D'altra parte non è un ritratto 'dal vero' ma 'evocativo' e celebrativo, con un certo tono di irrealtà: il corpo senza sostanza sotto il robone di un rosso ardente, la cera del volto non vitale, il fondo scuro funereo; mentre l'albero di lauro, il Broncone, allude ai rami viventi e morti del tronco medi-

61 [Tav. XXI A]

62 [Tav. XXI B - XXII]

61¹ **62**¹ **62**²

63 [Tav. XX]

64

64¹

ceo, recando nel cartiglio arrotolatissimo la scritta virgiliana: "VNO AVVLSO NON DEFICIT ALTER". Inaccettabile, per quanto ben motivata, la proposta di una datazione più tarda suggerita da Sparrow ["JWC" 1967], il quale vede nel lauro il simbolo del succedere di un nuovo ramo (di Cosimo I) a quello di Cosimo il Vecchio, troncato con l'assassinio del duca Alessandro (1537): ipotesi che troverebbe conferma nel motto virgiliano adottato da Cosimo come impresa per suggerimento di P. T. de' Ricci. Le indicazioni del Vasari, che stabiliscono come termine *post quem non* il 1519 (data della morte di Lorenzo de' Medici), vanno comunque considerate come del tutto attendibili, essendo il Vasari stesso amico di Ottaviano de' Medici e quin-

di ben informato a proposito del dipinto; lo stile angoloso, del resto, concorda ancora con la pala Pucci (n. 53). Possibile invece che i particolari del lauro e della scritta siano stati modificati o aggiunti più tardi.

59. S. CECILIA

af 1517-19c

Costituiva la lunetta sulla porta d'ingresso della compagnia di S. Cecilia a Fiesole, e andò distrutta nel secolo XVIII. È testimoniata però da disegni, tra cui il più rappresentativo nel Gabinetto delle Stampe di Roma (F.C. 146r; foto 59¹).

60. SIBILLA. Firenze, Palazzo Vecchio (Loeser)

ol/tv 66×52 1519c

Probabilmente copia [Berti, 1956; Cox Rearick, 1964], piuttosto che autografo [Gamba, 1956], attesta comunque un'invenzione sicuramente del Pontormo, che ripete, ma più allargata, la soluzione delle mani nella *Dama con cestello di fusi* (n. 36), e presenta un volto tutto animato da un sorriso leonardesco. Indubbia l'analogia con la *S. Cecilia* (n. 59) perduta ma testimoniata da un disegno. La data più convincente è il 1519c della Cox Rearick, pluttosto che una cronologia più giovanile.

'Santi' di Pontorme

Destinati a incorniciare una nicchia nella cappella della Madonna nella chiesa di S. Michele di Pontorme, il borgo natale dell'artista immediatamente contiguo a Empoli; i due dipinti si trovano attualmente in deposito nel Museo della Collegiata di Empoli. Citati dal Vasari dopo la pala Pucci (n. 53), sono databili infatti intorno al 1519 (solo Gamba e Marcucci li hanno posti non più tardi del 1517) e segnano un altro passo stilistico. Le figure risultano ormai inconfondibili con lo stile del Sarto, e la ricercatezza formale prevale sui valori contenutistici. Si veda nel *S. Giovanni Evangelista* l'avvitamento a spirale, dal piede destro di profilo e in punta (ispirato al *Levita* del Rustici sulla porta del battistero fiorentino) alla testa inclinata parallelamente ma in senso opposto; e la posa articolata ed equilibristica dell'arcangelo (forse collegato allo *Schiavo ribelle* di Michelangelo, come vuole la Cox Rearick e da cui forse a sua volta attingerà il Giambologna, per esempio nell'*Apollo* di Palazzo Vecchio) che si appoggia non sul consueto drago ma su un putto stralunato. Dieci anni più tardi il Bronzino, nel *Pigmalione e Galatea* di Palazzo Vecchio (si veda anche al n. 106), attingerà alquanto proprio da questa figura.

In occasione del restauro nel 1955, sono stati notati, sul retro delle due tavole, alcuni disegni tracciati dal Pontormo per una *Deposizione* [Baldini, *Itinerario del Museo della Collegiata di Empoli*, 1956] e una figura [Berti, 1966], probabilmente in relazione con una lunetta di coronamento ai due santi, poi non eseguita [Freed-

66 [Tav. XXIV-XXVII]

berg, 1961].

Disegni preparatori per ambedue i santi sono agli Uffizi e a Lilla [Cox Rearick, 1964].

61. S. GIOVANNI EVANGELISTA

ol/tv 173×59(massima 96) 1519c

Ne esiste un disegno preparatorio (Firenze, Uffizi, n. 6571 Fr; foto 61¹).

62. S. MICHELE ARCANGELO

ol/tv 173×59(massima 96) 1519c

Ne esistono due disegni preparatori rispettivamente a Lilla (Musée des Beaux-Arts, n. 568r; foto 62¹), e a Firenze (Uffizi, n. 6506 Fr; foto 62²).

63. S. ANTONIO ABATE. Firenze, Uffizi

ol/tv 78×66 1519c

Già a palazzo Pitti; la provenienza è ignota. La cronologia, prima giudicata molto tarda, è stata convincentemente riportata intorno al 1519, già proposto dal Gamba [Freedberg, 1961]: si può notare infatti l'affinità del volto con il *S. Gio-*

vanni Evangelista di Pontorme (n. 61) e il gioco del cartiglio scandito dalle belle lettere capitali come nel ritratto di *Cosimo il Vecchio* (n. 58); mentre la posa trascorrente ricorda la scomparsa *S. Cecilia* (n. 59). Anche Forster [1966] concorda circa il 1518-19, pure pensando inverosimilmente che si tratti di un s. Antonio (il quale non era barbuto, e la cui iconografia era ben nota a Firenze). L'opera innesta sul michelangiolismo (i *Profeti* della Cappella Sistina) la visionarietà delle stampe düreriane. Il cromatismo è severo, quasi ten-

95

67 [Tav. XXIX-XXXI]

67²

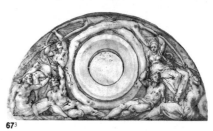

67³

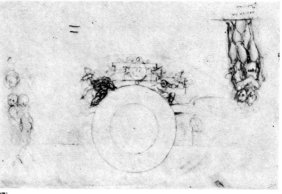

67¹

67⁴

dente al monocromo. Si veda anche a n. 64.

Ne esisteva una piccola replica in collezione privata fiorentina.

64. ADAMO ED EVA CACCIATI DAL PARADISO TERRESTRE. Firenze, Uffizi

ol/tv 43×31 1519c

Proviene dall'eredità (1632) di don Antonio de' Medici (figlio di Francesco I); appartenne poi al cardinale Leopoldo con l'attribuzione al Pontormo; fu anche riferito al Salviati. Restituito al Pontormo nel 1825 e considerato opera giovanile, non venne accolto come autografo da Clapp [1916], né successivamente da Forster [1966]; lo accettarono invece vari studiosi (Venturi, Berenson, Voss, Salvini); in dubbio il Berti [1956 e 1964] e la Cox Rearick [1964], pur incline ad accettarlo. La connessione a *pendant* con un disegno degli Uffizi (n. 465 Fr; foto 64[1]) raffigurante la *Creazione di Eva*, giudicato in genere tardo, influiva anche sulla datazione del dipinto (Salvini: 1531c; Berti: 1530-35c); la Cox Rearick ha più convincentemente indicato una cronologia intorno al 1519, connessa con il *S. Antonio abate* (n. 63) tramite il citato disegno, in cui la figura di Dio Padre presenta la medesima tipologia del santo agli Uffizi. Le due figure dei progenitori espulsi combinano l'anatomismo michelangiolesco con caratteri espressivi attinti dalle stampe düreriane.

65. 'Storie' sacre e stemmi

tl 1519

Dipinti su ventiquattro drappi funebri, due dei quali raffiguravano s. Bartolomeo, gli altri la Vergine col Bambino e l'arme della famiglia. Furono eseguiti per Bartolomeo Ginori, morto nel 1519.

66. ADORAZIONE DEI MAGI. Firenze, Pitti

ol/tv 85×190 1519-20c

Indubbiamente identificabile con l'*Epifania* dipinta per l'anticamera di Giovan Maria Benintendi, citata dal Vasari subito dopo le 'storie' Borgherini (n. 40-43) come "varia, bella e d'ogni lode dignissima". Per lo stesso locale dipinsero pannelli consimili (anche le dimensioni corrispondono) il Bachiacca (*Battesimo di Cristo* ora negli Staatliche Museen di Berlino; *Leggenda del figlio del re* ora nella Gemäldegalerie di Dresda) e il Franciabigio (*Betsabea*, pure a Dresda, datata 1523). Nonostante questa ultima data, il pannello del Pontormo è stato considerato talora di alcuni anni antecedente: 1517-18 [Berenson], 1518-19 [Clapp], 1519-20 [Gamba], di qualche tempo avanti il 1523 [Becherucci], tra il 1519 e il '23 [Berti], 1522 [Cox Rearick], 1521-22 [Forster], 1523 [Marcucci]. La collocazione del Vasari, ben informato sul Pontormo, prima della lunetta di Poggio a Caiano (n. 67), va però forse tenuta in conto; e così l'affinità con il disegno n. 455 F degli Uffizi, preparatorio per la lunetta del Poggio (datato 1520c dalla Cox Rearick). L'ultima figura a sinistra volta verso lo spettatore, sebbene alterata con le altre dalla deformazione caricaturale (suggerita da stampe di Luca di

70

70[1]

Leida), è probabilmente un autoritratto del Pontormo [Berti, *Sembianze del Pontormo*, 1957].

67. VERTUNNO E POMONA. Poggio a Caiano, Villa Medicea

af 461×990 f 1519-21

La commissione di affrescare la lunetta (assieme a un'altra nella testata di fronte, non eseguita) nel salone della villa di Poggio a Caiano venne assegnata al Pontormo venticinquenne da Ottaviano de' Medici, il quale soprintendeva per conto dei cugini alla decorazione, voluta da Leone X in onore del padre Lorenzo il Magnifico. I temi, elaborati da Paolo Giovio, dovevano prefigurare attraverso episodi della storia antica i fasti medicei. Così Andrea del Sarto dipinse (1521) *Cesare che riceve i tri-*

68 [Tav. XXIII]

buti, allusione ai doni del sultano d'Egitto al Magnifico; e il Franciabigio il *Trionfo di Cicerone al ritorno dall'esilio*, allusione al ritorno di Cosimo il Vecchio. Il tema invece, così estraneo e vago, assunto dal Pontormo costituì forse una speciale concessione all'artista di seguire l'ispirazione più spontanea. D'altronde il motivo della serenità e dell'evasione nelle 'ville', contrapposto alle "pompe e agli alti onori" cittadini, risaliva proprio a Lorenzo il Magnifico [Berti, 1964]; Chastel [*Art et Humanisme à Florence*, 1961], anzi, dubita che si tratti di una raffigurazione di Vertunno e

Pomona, pensando piuttosto a "una variazione sul tema delle stagioni e delle età"; ma la scritta: "STVDIVM / QUIBVS ARVA / TVERI" allude proprio a divinità campestri. Tre disegni preparatori d'insieme, conservati agli Uffizi, testimoniano del resto l'evolversi della concezione: dapprima (n. 6660 Fv; foto 67[1]) cartelle e giovani reggendardo inerpicati sull'occhio della finestra, cioè qualcosa di decorativo-retorico intonato al resto delle 'storie'; poi invece (n. 455 F; foto 67[2]) una compagnia di giullari insediata presso due grossi rami attorti intorno all'occhio finestrato; infine (n. 454 F; foto 67[3]) figure nude tra rami consimili ma frondosi. Il Vasari attesta una gran ricerca dell'artista, il quale "guastando e rifacendo oggi quello che aveva fatto ieri, si travagliava di maniera nel cervello, che era una compassione"; ma l'esito finale, per quanto studiatissimo, è una delle pagine più felici del Pontormo, e costituisce un punto d'importanza storica per tutto il filone 'arcadico' del Cinquecento fiorentino. Presso un muretto, contadini e contadine, un giovane nudo nel *plein-air* (come i fanciulli che reggono un festone di frutta sotto il tondo, e quelli inerpicati in alto), altri in abiti villeschi dal panneggio elegante; pose studiate (figure sedute, adagiate, frontali, di tergo, scorciate), ma con un sapore naturale di 'istantanee'; un linearismo agilissimo e stringente; un colore puro dalle note fresche, raffinate, sorrette da tocchi di bianco abbagliante quasi in ogni figura; un'atmosfera sottile e ariosa, che capta veramente sensi agresti e popolani. L'Argan [*L'arte italiana*, 1968] nota "l'andamento giocoso", e che "le figure, benché raggruppate in 'strofe' simmetriche, si rispondono dai due lati [...] come rime sdrucciole in una poesia". La figura di vecchio contadino scalzo, a sinistra (Vertunno), riprende probabilmente, seppure invecchiate, le sembianze del Pontormo stesso, come del resto indicherebbe l'iscrizione sottostante con la firma: "I F P". La decorazione del salone, rimasta interrotta per la morte

di Leone X (il 1° dicembre 1521), doveva essere compiuta da Alessandro Allori nel 1579-82; ma già nel 1532 Clemente VII ne avrebbe dato l'incarico al Pontormo (si veda al n. 118). Da notare che nel 1582 l'Allori restaurò gli affreschi precedentemente restaurati nel salone, compreso il lunettone pontormesco, "il quale ho rinetto e lavato e rifatto l'aria": c'è da supporre anzi che il cielo originario fosse di un celeste terso, più astratto. Sulla cronologia 1519-21 si concorda di solito, mentre la Cox Rearick [1964] data 1520-21.

Disegni preparatori (in aggiunta a quelli già citati), tra cui alcuni bellissimi [Berti, 1965], sono, oltre che agli Uffizi (qui pubblicato il n. 6685 Fr; foto 67[4]), a Cambridge (Mass.), al Louvre, a Berlino, a Stoccolma [Cox Rearick, 1964 e 1970].

68. RITRATTO D'UOMO IN PROFILO. Firenze, Pitti

ol/tv 50×39 1520c

Schaeffer ["MK" 1910] identificò l'effigiato con Francesco da Castiglione, canonico fiorentino e suddiacono di Leone X, in base al confronto con il ritratto di questo nell'*Entrata di Leone X a Firenze* affrescata dal Vasari in Palazzo Vecchio; e la somiglianza è certo molta. Ma mentre Schaeffer pensava a un'opera giovanile, Gamba e Alazar riferivano il dipinto al 1515-20, e per Clapp andava ritardato stilisticamente al 1534-35. Berti ["BA" 1966], mentre la Cox Rearick e Forster escludono l'opera dal *corpus* del Pontormo, insiste ad accoglierla, anche per l'affinità con certi profili studiati a disegno dal maestro (come il n. 6668 degli Uffizi, dalla Cox Rearick datato intorno al 1522-25), e pensa a un'opera contemporanea ai lavori di Poggio a Caiano, né distante dal doppio ritratto Cini (n. 74); il che permetterebbe anche l'identificazione con Francesco da Castiglione.

69. S. AGOSTINO

tv 1520-21c(?)

Raffigurava il santo vescovo benedicente in trono e due angeli volanti; fu eseguito per le suore agostiniane della chiesetta di S. Clemente in via S. Gallo a Firenze. Passato poi in convento, scomparve con la soppressione di questo. Citato dal Vasari subito dopo l'affresco di Poggio a Caiano (n. 67).

70. S. GEROLAMO PENITENTE

ol/tv 139×95 1521(?)

Già in collezione Guicciardini a Firenze. Dapprima ascritto al Rosso Fiorentino intorno al 1518 da Venturi, Becherucci, e alla mostra "Le triomphe du Maniérisme européen" (Amster-

71 [Tav. XXVIII]

72 [Tav. XXXVIII]

72¹

73

74

74¹

77 [Tav. XXXVII]

77¹

lo pose intorno al 1520; A. Venturi, invece, vicino alla *Cena in Emmaus* (n. 85), cioè al 1525; più tardo ancora secondo la Becherucci [1944]. Conserva qualche dubbio sull'autografia il Berti [1964], che pensa come ipotesi alternativa al Bugiardini; il ritratto è inoltre accolto da Berenson [1963], ma escluso dalla Cox Rearick e da Forster. Anche per il particolare del grande cappello circolare, in uso nei primi decenni del secolo, il Berti ["BA" 1966], ammessa l'autografia, pensa a un'eventuale data nel periodo 1519-22, tra la *S. Cecilia* (n. 59) e l'opera alla Certosa. Potrebbe anche trattarsi del ritratto del Lappoli citato dal Vasari (ma si veda al n. 57).

74. RITRATTO DI DUE AMICI. Venezia, Cini

ol/tv 95×75 1522c

Proviene dalla collezione di Paolo Guicciardini a Firenze. È identificabile con il ritratto di "due suoi amicissimi: l'uno fu il genero di Beccuccio Bicchieraio, ed un altro, del quale parimente non so il nome" [Vasari], citato dopo il *S. Quintino* (n. 38) e il ritratto del Lappoli (n. 57). Datato tra il 1515 e il '20 dal Gamba, che lo pubblicò [1921]; al tempo della Certosa, dal Giglioli e dalla Becherucci; intorno al 1522 dalla Marcucci [1954], dalla Cox Rearick e da Forster; tra il 1522 e il '25 dal Berti [1964]. Opera di un'estrema sobrietà, con le figure in nero su fondo grigio, ma i carnati accesi dalla luce; però con una novità formale che ormai supera la derivazione da Andrea del Sarto, e grande penetrazione psicologica. Anche con lo spettatore, infatti, viene stabilita una comunicazione significativa negli sguardi a lui rivolti e nelle mani che mostrano e additano la carta, quasi attirandolo nel cerchio di un dialogo sospeso al momento al suo sopravvenire.

Un disegno relativo alla mano col foglio è il n. 449 Fv (foto 74¹) degli Uffizi di Firenze.

75. PIETÀ

tv 1520-22c(?)

Eseguita per mercanti di Ragusa. Recava "certi Angeli nudi [...], ma sopra tutto vi era un bellissimo paese, tolto per la maggior parte da una stampa di Alberto Duro [Dürer]" [Vasari].

76. MADONNA CON IL BAMBINO

tv 1520-22c(?)

Eseguita per degli spagnoli, e finita presso un rigattiere, venne acquistata da Bartolomeo Panciatichi su suggerimento del Bronzino.

77. MADONNA CON IL BAMBINO E S. GIOVANNINO. Firenze, Galleria Corsini

ol/tv 87×67 1523-25c

Già attribuita al Rosso e al Bachiacca, fu restituita al Pontormo da Berenson e datata da Clapp al 1528-29; successivamente il Gamba e la Becherucci preferirono giustamente una cronologia contemporanea agli affreschi della certosa (n. 78-82), con cui è evidente l'affinità nel formalismo un po' visionario ma potente; del resto i castelli nordici nel fondo a sinistra si ispirano a una

stampa di Dürer [Forster, 1966], in una stretta ripresa del maestro tedesco quale è realizzata anche alla certosa. Accolta da Berti [1964], lascia in dubbio la Cox Rearick [1964], e viene giudicata copia da Forster.

L'opera è replicata in un esemplare della collezione Kress a S. Francisco, attribuito da Longhi, Suida, Berenson, ed esposto alla mostra del Pontormo del 1956; ma giudicato un'evidente replica più tarda, e con fisionomie anche non pontormesche, da Sanminiatelli, Berti, Forster. Rispetto all'originale, presenta la sostituzione di una nuvolaglia al paesaggio e l'inserimento di un terzo fanciullo. Un terzo esemplare, anch'esso replica tarda e più debole [Berti, *Fortuna del Pontormo*, 1956-57], in collezione Pucci a Firenze, mantiene il terzo fanciullo ma riprende il paesaggio.

'Storie' della Passione alla certosa del Galluzzo

La peste che desolò Firenze nel 1523 (Vasari scrive, per via dell'anno fiorentino, 1522)

dam, 1955), ma escluso come tale dalla Barocchi [*Il Rosso Fiorentino*, 1950] e da Longhi ["P" 1951], che lo collocava sulla fine del secolo XVI; fu esposto anche alla "Mostra del Pontormo e del primo manierismo fiorentino", però solo come attribuito al Rosso [Baldini]. Dipende invece da un disegno (Roma, Gabinetto Nazionale delle Stampe, n. 754; foto 70¹) databile verso il 1521 [Cox Rearick, 1964], che già Berenson nel 1903 aveva attribuito al Pontormo contro una precedente ascrizione allo Schiavone. La Cox Rearick pensa che il dipinto, già documentato nel 1606 in proprietà Guicciardini come opera del Pontormo, sia stato iniziato da lacopo e completato, nel fondo e negli accessori, da altra mano.

Un'altra derivazione dal disegno è in un pannello (55×42) in collezione Capponi a Firenze.

71. MADONNA CON IL BAMBINO E DUE SANTI. Firenze, Uffizi

ol/tv 72×60 1522c

Proviene dall'eredità del cardinale Carlo de' Medici (XVII secolo), già con l'attribuzione al Pontormo; riferita poi anche al Rosso, venne restituita al

maestro da Berenson e Gamba. In effetti esiste un disegno dell'artista relativo al *S. Girolamo* nella collezione Seilern a Londra [Cox Rearick, 1964]. Alla mostra del 1956, il Berti sospettava però un'esecuzione del Bronzino, ipotesi su cui concordano la Cox Rearick (che propone una cronologia verso il 1525, e giudica parte della composizione del Bronzino stesso) e Forster. Ma il Bronzino allora dipendeva strettamente dal Pontormo, come collaboratore di bottega, e l'opera può essere pertanto, almeno prevalentemente, mantenuta al nostro. Mentre Clapp [1916] la datava inverosimilmente al 1517-18, meglio il Gamba la collocava nel 1520-21 per l'affinità con il *Vertunno e Pomona* (n. 67) e la Stscherbatscheva la considerava di poco anteriore alla *Sacra Famiglia* dell'Ermitage (n. 72), da lei giudicata del 1521-22; un poco più la ritardava invece Berenson, per il drappeggio "già düreriano". Forse è identificabile con il "quadro di Nostra Donna col Figliuolo in collo e con alcuni putti intorno", che il Vasari cita in casa di Alessandro Neroni, nel gruppo di opere successive all'attività di Poggio a Caiano.

72. SACRA FAMIGLIA CON S. GIOVANNINO. Leningrado, Ermitage

ol/tl 120×98,5 1522-24c

Acquistata nel 1922 da una collezione privata russa. Pubblicata come Pontormo dalla Stscherbatscheva ["BE" 1934-36], che la riferiva al 1521-22, rilevando che la composizione si richiama alla perduta *Madonna di Porta a Pinti* del Sarto (1521c); mentre Becherucci e Gamba la datavano intorno al 1527. Appare precisamente connessa a un disegno preparatorio degli Uffizi (n. 6729 Fr; foto 72¹), che è ancora vicino allo stile del *Vertunno e Pomona* (n. 67). Smith ["AB" 1949] supponeva che, pur in base al citato disegno del Pontormo, l'opera fosse però stata eseguita dal Bronzino qualche anno più tardi (1525-26); la Cox Rearick [1964] invece, dopo la pulitura, l'ha confermata come autografa del Pontormo del 1522. Accolta anche da Berti [1964] e Berenson [1963], è esclusa invece da Forster [1966].

73. RITRATTO DI GIOVANE

ol/tv 64×43 1519-22c

Già nella collezione Mainoni Baldovinetti a Roma. Fu pubblicato da Gamba [1921], che lo datò tra il 1515 e il '20; Voss

78 [Tav. XXXII]

79 [Tav. XXXIII-XXXIV]

80

81 [Tav. XXXV]

82 [Tav. XXXVI]

78-82 A

78[1]

79[1]

30[1]

41[1]

2[1]

dette occasione al Pontormo di ritirarsi alla certosa del Galluzzo, luogo in cui gustò il modo di vivere solitario, e dove sono documentati pagamenti a lui fin da quell'anno (4 febbraio 1522, però in stile comune 1523) per "la depintura [che] fa nel chiostro". È quindi datata 1525 la *Cena in Emmaus* (n. 85), e i pagamenti proseguono fino al 1527. Vasari ci dice del resto che "egli spese in questi lavori parecchi anni: e poiché fu finita la peste, ed egli tornatosene a Firenze, non lasciò per questo di frequentare assai quel luogo, ed andare e venire continuamente dalla Certosa alla città; e così seguitando, sodisfece in molte cose a que' padri". Le lunette eseguite nel chiostro grande (e attualmente conservate nel Museo della Certosa) recavano, secondo l'ordine di citazione del Vasari, l'*Orazione nell'orto* (lato sud-ovest), *Cristo dinanzi a Pilato* (adiacente al lato ovest), la *Resurrezione* (lato nord-ovest), l'*Andata al Calvario* (lato sud-est), la *Deposizione* (lato nord). Mentre il Vasari si meravigliava della violenta sterzata stilistica del Pontormo, che qui attinge a piene mani dalle stampe della Passione di Dürer e si sforza di assimilare quella maniera oltramontana, anche la critica di qualche tempo fa rimpiangeva che "il pittore che a Poggio a Caiano aveva trovato impressioni così semplici, spontanee e sensuali, [qui] diventa ad un tratto un puro cerebrale. Invece di cercare dentro di sé il movente della sua arte, lo cerca al di fuori, nelle opere altrui [...] scomparsa l'aria, la libertà, la gaiezza della campagna di Poggio a Caiano, egli si lascia trascinare in piena astrazione" [Toesca, 1943]. Sopravveniva però poi un apprezzamento maggiore, fondato sul resto su quelle molte bellezze particolari che anche il Vasari aveva riconosciuto a questi dipinti: e certo doveva essere suggestiva, anche per l'effetto di 'chiaro di luna', l'*Orazione nell'orto*; così come appare altamente stilizzato il *Cristo dinanzi a Pilato*, con il coppiere che discende serpentino dalla scalinata, contro il fondo di cielo, e intorno alla figura di Cristo quei soldati nelle armature abbaglianti: presentimento, si direbbe, dei futuri prossimi lanzichenecchi (ma per le ispirazioni anche domestiche, da Donatello a Ghiberti, si veda Zupnick, "AB" 1965). E il ritmo varia dall'intricato affannoso, spezzato dolorosamente dell'*Andata al Calvario*, al ricadere di salice piangente che ispira invece la *Deposizione*; o al groviglio di allucinati dormienti, come intricate radici, donde balza il fantasma violaceo del *Cristo risorto*. Per il medesimo chiostro il Pontormo aveva progettato anche un'altra *Deposizione* (ne esiste un disegno agli Uffizi), un *Inchiodamento alla croce* (anche per questo, disegni agli Uffizi; qui pubblicato il n. 6671 F; n. 78-82 B) e una *Crocifissione*. Circa le motivazioni ideologico-religiose che possono avere accostato il Pontormo a Dürer, il Berti [1964] accenna a un possibile rapporto tra il primo manierismo fiorentino e inquietudini riformiste nell'ambiente

85 [Tav. XXXIX-XLI]

toscano; altri invece (fra cui l'Argan) suppone influenze dell'antiluteranismo. Disegni relativi sono agli Uffizi, e inoltre a Roma, Venezia, Marsiglia [Cox Rearick, 1964].

Ne esistono delle piccole copie dell'Empoli (foto 78[1]-81[1]), ora anch'esse nel Museo della certosa, fedeli più disegnativamente che nel colore, e comunque utili alla ricostruzione dei lunettoni che vennero staccati già prima del 1956, ma purtroppo ormai assai guasti.

78. ORAZIONE NELL'ORTO

af   300×290   1523-25

79. CRISTO DINANZI A PILATO

af   300×290   1523-25

80. ANDATA AL CALVARIO

af   300×290   1523-25

81. DEPOSIZIONE

af   300×290   1523-25

82. RESURREZIONE

af   232×291   1523-25

Dal raffronto con la copia eseguita dall'Empoli, la Nicco-Fasola [*Alcune revisioni sul Pontormo*, 1957] ha supposto ragionevolmente che l'affresco sia stato scorciato di 60 cm circa per l'apertura di una porta; la copia infatti mostra nella zona inferiore l'aprirsi di un orrido baratro, dove il pittore aveva collocato un cartello o bolla con il sigillo di s. Brunone.

83. RITRATTO DI CONVERSO CERTOSINO

af   1523-25

Eseguito alla certosa del Galluzzo, in chiesa, raffigurava a mezza figura un certosino più che centenario.

84. NATIVITÀ

tv   1523-25

Eseguita per la camera del priore della certosa del Galluzzo, vi si vedeva s. Giuseppe che nella notte faceva "lume a Gesù Cristo con una lanterna", secondo un'ispirazione iconografica nordica.

85. CENA IN EMMAUS. Firenze, Uffizi

ol/tl   230×173   d   1525

Citata dal Vasari con gran lode: "senza punto affaticare o sforzare la natura", "avendo [...] ritratto alcuni conversi di que' frati, i quali ho conosciuto io, in modo che non possono essere né più vivi né più pronti di quel che sono". Dipinta per la foresteria o dispensa della certosa del Galluzzo, pervenne con le soppressioni dei conventi all'Accademia, e di lì agli Uffizi. Nella cartella ai piedi del pellegrino a destra è datata "1525"; nello stesso anno è documentato un pagamento. Una copia eseguita dall'Empoli mostra il dipinto inquadrato in un'arcata architettonica di portale (forse eseguita a fresco intorno alla tela, oppure cornice), sì da ampliare la scena e "allontanarla in uno spazio preciso" [Nicco Fasola, *Alcune revisioni sul Pontormo*, 1957]; inoltre la stessa Nicco Fasola pensava che l'occhio trinitario in alto con il suo alone fosse stato aggiunto dall'Empoli (è infatti su una toppa) per scrupoli controriformistici, parendo "troppo familiarmente umana" la primitiva rappresentazione del Pontormo (è possibile anche che il Pontormo avesse dipinto la divinità trionfale, poi condannata dalla Controriforma). L'opera è, con il *Vertunno e Pomona* (n. 67) e la *Deposizione* di S. Felicita (n. 97), una delle principali del Pontormo e che più ha entusiasmato la cri-

87   86   88

tica: si sono citati per essa Caravaggio, Velázquez, Zurbarán, il presecentismo, il realismo, l'adesione "non alla vita delle corti, ma del popolo, a cui era affidata la storia nuova" [Nicco-Fasola]. In realtà, dopo il nordicismo eretico e un po' alienato degli affreschi nella stessa certosa (n. 78-82), qui il Pontormo ritorna a un messaggio più convincente. Certo c'è ancora l'utilizzazione di una precisa stampa di Dürer, ma la rude tavola quadrangolare del tedesco, informata alla prospettivizzazione quattrocentesca, viene trasformata in un più raffinato e quasi astratto ovale; e in quegli oggetti che costituiscono la mirabile natura morta sulla tavola si rileva una smaterializzante e aristocratica (per quanto sobrissima) trattazione: candidi lini sottili, trasparenti vetri di Murano senza peso, spessori argentini di metallo; e pani umili come quelli delle parche colazioni del Pontormo, citate nel suo *Diario*. Nel Cristo, pur idealizzato come in una mezza mandorla, il panneggiato azzurro dalle larghe pieghe, a contrasto con il corpo adusto e robusto, ha ricercatezza e squillo cromatico. Gli sgabelli a tre piedi, sostituiti alle cassapanche düreriane, presentano un aspetto domestico, ma servono anche a sollevare le figure longilinee dei due discepoli, i quali compaiono evangelicamente con grossi piedi nudi quasi in primo piano. Testimoni dell'episodio mistico, ne risentono l'atmosfera di evocazione potente ma irreale gli stessi certosini colti dal vero, nel mistero dell'ombra fitta da cui emergono le loro teste un po' allucinate, con bellissime e audaci soluzioni come in quella a sinistra, tagliata sotto il naso; o in quella quasi da galeotto del coppiere, incastrata come capo mozzato sul mar-

100

93
[Tav. LII]

94
[Tav. LIII]

95

96

93-99¹

98¹

98²

fedele non contempla ma vive partecipe la scena del Vangelo. L'opera, in conclusione, si equilibra tra citazione culturale (Dürer) e verismo, tra ricercata maniera ed esplorazione realistica, sincera. La composizione, alla struttura centrale che risulta piramidale ma circolare, aggiunge le due ali dei certosini che creano convessità verso il fondo: così la figurazione grava sul primo piano, si alza nei lati più che al centro; e col fondo scuro propone una spazialità misteriosa, costituita dalle presenze figurali più che dalla prospettiva.

Disegni relativi sono agli Uffizi, a Londra, a Monaco [Cox Rearick, 1964]; inoltre uno studio di gatto a Stoccolma [Cox Rearick, 1970].

Tabernacolo di Boldrone

L'affresco in un tabernacolo presso Quarto al bivio Castello-Cercina, vicino al monastero di benedettine di Boldrone (e attualmente presso i depositi delle Gallerie fiorentine), è citato dal Vasari dopo le pitture alla certosa, "non essendo ancora sfogato quel capriccio, e piacendogli la maniera tedesca", e anzi nominato anche dopo quelle nella cappella Capponi (n. 93-98). Tuttavia parte degli studiosi ha pensato a una cronologia antecedente, giudicando i santi laterali simili ancora allo stile di Poggio a Caiano, la parte centrale invece a quello della certosa [Forster, 1966], concludendo quindi per un 1522-23. La Cox Rearick d'altra parte, come già il Gamba [1921], data invece al 1528-29, ma il momento travagliato dell'assedio non pare il più opportuno per immaginare l'impressionabile Pontormo ad affrescare nei dintorni di Firenze. D'altra parte va tenuto conto che al Vasari soccorrevano i precisi ricordi del Bronzino: quindi andrebbe esclusa una antecedenza alla certosa, il che porta a una cronologia almeno sul 1525-26. La figura del Crocifisso attinge da quella di Michelangelo per S. Spirito, scoperto dalla Lisner. L'affresco si è andato deteriorando dopo i primi del Novecento; distaccato nel 1956, alcuni duplicati dello strappo si trovano, con gli affreschi, presso le Gallerie fiorentine.

Esiste negli Staatliche Museen di Berlino una piccola replica della parte centrale, che presenta una maggiore distanza delle figure laterali dal Crocifisso, già dal Voss però giustamente non considerata autografa. Un'altra derivazione

è in proprietà Romano a Firenze.

86. CROCIFISSO CON LA MADONNA E S. GIOVANNI. Firenze, Gallerie (depositi)
af 307×175 1525-26c(?)

87. S. GIULIANO. Firenze, Gallerie (depositi)
af 307×175 1525-26c(?)
A sinistra del Crocifisso.

88. S. AGOSTINO. Firenze, Gallerie (depositi)
af 307×175 1525-26c(?)
A destra del Crocifisso.

89. NATIVITÀ DEL BATTISTA. Firenze, Uffizi
ol/tv diam. 54 1526
Desco da parto, di provenienza sconosciuta. Reca nel retro gli stemmi Della Casa-Tornaquinci, e la Becherucci

90

91 [Tav. XLIII]

90¹

92¹

89
[Tav. XLII]

gine della tonaca dell'altro, a destra. Così, e pure nel cane e nei due gatti acquattati sotto la tavola, che ci puntano con gli occhi fosforescenti, anche i brani di realtà si caricano dell'inquietudine di un evento soprannaturale: alla certosa si ripete la Cena in Emmaus, la distanza storica è abolita, il

97 [Tav. XLVII-LI]

98 [Tav. XLV-XLVI]

[1944] lo ha bene riferito alla nascita (1526), da Girolamo Della Casa e Lisabetta di Giovanni Tornaquinci, sposatisi nel 1521, del primogenito Aldighieri. Per la Cox Rearick [1964], che gli collega ingiustificatamente un disegno degli Uffizi (n. 6697 Fv), il tondo va riferito stilisticamente al 1529 (anno però tragico, per l'inizio dell'assedio di Firenze, e non propizio al lusso di deschi da parto dipinti); Berti [1964 e 1966] e Forster [1966] mantengono la data 1526, che trova conferma nelle affinità stilistiche con lo studio per l'*Inchiodamento alla croce* (Firenze, Uffizi, n. 6671 F) disegnato per un lunettone della certosa. D'altra parte Shearman [*Andrea del Sarto*, 1965] ha giustamente notato come il tondo del Pontormo attinga vari motivi (principalmente quello del bimbo in braccio dall'assistente con il bimbo in braccio) dalla *Nascita del Battista* di Andrea del Sarto nel chiostro fiorentino dello Scalzo (e studi preparatori), documentata appunto nel 1526: dunque opera di immediata emulazione da parte del Pontormo; sulla data 1526 pare concordare anche Shearman.

Un disegno relativo alla prima donna da sinistra (testa e spalle) era in collezione Lamponi a Firenze.

La composizione ritorna identica, salvo varianti nel colore, in un secondo tondo già in palazzo Davanzati e ora presso il Fogg Art Museum di Cambridge (Mass.), che Clapp giudicava pure autografo (datando ambedue i tondi al 1529-30), e che nel retro reca le armi Antinori e di S. Giovanni oppure Ughi. Forster [1966] lo considera però una copia contemporanea.

90. MADONNA. Città del Messico, Museo de San Carlos

1525c

Entrata in galleria nel 1780, e attribuita al Parmigianino, è stata giustamente restituita al Pontormo dalla Becherucci [*Arte in Europa*, I, 1966], datandola tra il 1519 e il '20. Per Berti [1965], la cronologia è situabile sul finire del periodo della certosa, verso il 1525. Una notevole analogia, segnalata dalla Becherucci, vi è con un disegno degli Uffizi (n. 6697 F; foto 90¹), che la Cox Rearick, però, data al 1526.

91. RITRATTO DI GIOVANETTO. Lucca, Museo Nazionale di Villa Guinigi

ol/tv   85×61   1525-26c

Già al Poggio Imperiale. Considerato da Trapesnikoff [1909] come possibile ritratto postumo di Giuliano di Piero de' Medici, la vittima (1478) della congiura dei Pazzi (ma Giuliano era di capelli neri), venne poi identificato come Giuliano di Pier Francesco il Giovane, nato nel 1520-21, fratello minore di Lorenzino, sul quale non abbiamo indicazioni iconografiche; ma ciò comporterebbe ovviamente una data sul 1535-36. Gamba [1921] e quindi, più decisamente, la Becherucci [1944] hanno puntato invece, suggestivamente, sul ritratto di Alessandro de' Medici (nato nel 1511) giovanetto, testimoniato dal Vasari intorno al 1525-26; la studiosa cita come prova i capelli rossi dell'effigiato, dello stesso colore cioè di quelli di Alessandro, che risultano constatati quando, nel 1875, ne fu esumata la salma. Sennonché, le testimonianze contemporanee (e i ritratti come quelli del Vasari) parlano per Alessandro di capelli "ricci neri"; e una ciocca della ricognizione del 1875, esaminata dal Pieraccini [*La stirpe dei Medici di Cafaggiolo*,

1924], era appunto bruna e non rossa (se il malfamato duca avesse avuto una chioma di quel colore, del resto, le cronache lo avrebbero annotato); i ricognitori, dunque, in qualche modo furono ingannati (forse i capelli erano sporchi di sangue). Occorre riconoscere pertanto che nessun motivo esterno (anzi, al contrario) sussiste per l'identificazione con Alessandro, pure accolta anche dalla Cox Rearick [1964] e da Forster [1966] con data intorno al 1525, mentre per Berti [1964] costituiva almeno un interrogativo. Di conseguenza diviene più incerta anche la datazione del vibrante, bellissimo ritratto (non per niente esposto nella grande mostra d'arte italiana a Parigi nel 1935; in quella del Cinquecento toscano a Firenze nel 1940; in quella del manierismo ad Amsterdam nel 1955; in quella del Pontormo a Firenze nel 1956); data che Clapp poneva più tardi, al 1529-30. Però la cronologia dell'opera di Lucca meglio torna, in definitiva, proprio sul 1525; né può escludersi che il bizzarro Pontormo abbia anche alterato il colore dei capelli di Alessandro giovanetto.

92. IPPOLITO DE' MEDICI

tv   1524-27c

Eseguito contemporaneamente al ritratto di Alessandro de' Medici (si veda al n. 91), presentava il giovane col cane Rodon. A lungo identificato erroneamente col *Guidobaldo d'Urbino* del Bronzino (Firenze, Pitti); gli si può invece riferire il disegno n. 452 Fr degli Uffizi (foto 92¹), databile al 1525 c.

Decorazione della cappella Capponi

Nella chiesa di S. Felicita, la cappella già Barbadori poi Paganelli, architettata dal Brunelleschi e dedicata alla SS.

Annunziata (tema ripreso dal Pontormo), fu acquistata da Ludovico Capponi nel 1525 e fatta completamente ridecorare dal Pontormo. Vasari attesta tre anni di lavoro segretissimo, dietro la "turata", senza far vedere nulla nemmeno al committente. La cappella recava un *Dio Padre* con quattro patriarchi nella volta, ma questa andò distrutta nel 1766 a causa di lavori all'organo; restano però dei disegni relativi agli Uffizi (qui pubblicato il n. 8966 S; foto 93-99¹) [Cox Rearick, "BM" 1956]. Nei tondi sono i quattro Evangelisti, tre dei quali, secondo il Vasari, eseguiti dal Pontormo, e uno dal Bronzino "tutto da sé" (però nella *Vita* del Bronzino assegna a lui due Evangelisti). Perciò, dopo varie incertezze degli studiosi, Smyth ["AB" 1949] ha ascritto al Bronzino il *S. Marco* e il *S. Luca*, e così Emiliani [*Bronzino*, 1960]; la Cox Rearick [1964] aggiunge dubbiosamente ai due il *S. Matteo*. Quest'ultimo, che è forse il

99

101 [Tav. XLIV]

meno consistente e che imita semplicemente lo stile della pala con la *Deposizione*, è per chi scrive il più probabile; generalmente viene invece attribuito al Bronzino il giovane e barbuto *S. Marco*. Anche Forster [1966] lascia al Pontormo solo il *S. Giovanni Evangelista*, mentre considera di collaborazione con il Bronzino il *S. Matteo*. Riguardo alla cronologia, è verosimile pensare iniziata per prima la volta (1525?), mentre per gli Evangelisti è stato proposto il riferimento al 1525-26c [Cox Rearick] o 1526 [Forster]; per la *Deposizione*, il 1525-27c [Cox Rearick] o 1525/6-28 [Forster]; per l'*Annunciazione*, il 1527-28c. Se gli Evangelisti sono pezzi superbi — non solo il *S. Giovanni*, di chiara ispirazione michelangiolesca, ma di una visionarietà più involuta e stilizzata; e il *S. Luca*, certo superiore alle forze del Bronzino, di un formalismo potente quanto raffinato; mentre più umano ma sempre stranito e di gran disegno è il *S. Marco* —, la *Deposizione* appare senz'altro il vertice più alto del Pontormo, il punto liminare ma felice toccato dalla sua ricerca. Certo egli guardò alle nuove 'proporzioni' e attitudini delle sculture che Michelangelo andava eseguendo nella Sagrestia Nuova, ma con quale trasposizione e quale originalità di ricavato: "le forme che s'intrecciano per rispondenze ritmiche inafferrabili ad ogni razionale misura, in questo annodato grappolo come sospeso tra lo sfiorare di piedi quasi danzanti sulla terra e il lieve inchinarsi, in alto, di diafane figure" [Becherucci]; i "colori chiarissimi e acerbi, colori d'erba spremuta e di succhi di fiori primaverili, pervinche, rose, violette, giallo di polline, verde di chiari steli" [Briganti]; "e il tragico, il sublime dell'opera è proprio nel fatto che il *pathos* non si localizza nei gesti o nelle espressioni delle figure, ma si manifesta proprio nella loro voluta

102 [Tav. LIV]

inconsistenza, nel loro trapassare dalla concretezza della forma all'astrattezza dell'immagine" [Argan]. Opera inaudita davvero, dove il monumentalismo di corpi e panni diventa leggerezza aerea; dove oltre alle altre solite norme compositive è abolito il chiaroscuro ("senz'ombra e con un colorito chiaro e tanto unito", dice stupefatto il Vasari, che non riesce a capire, e si rifugia in un "pensando a nuove cose", la solita stranezza di "quel cervello" del Pontormo); dove la bellezza coesiste con una psicologia allucinata e dolorosa. Analoga è l'*Annunciazione*, ma ridotta alla dialettica tra la figura sensitiva, quasi neobotticelliana, della Vergine e l'empito quasi prebarocco dell'angelo dal colore squillante, per cui si sono citati Barocci, Bernini, Piazzetta.

93. S. GIOVANNI EVANGELISTA

ol/tv diam. 70 1525c

94. S. LUCA

ol/tv diam. 70 1526c

95. S. MARCO

ol/tv diam. 70 1526c

96. S. MATTEO

ol/tv diam. 70 1527-28c

97. DEPOSIZIONE

ol/tv 313×192 1526-28c

Restaurata nel 1934-35. In ricca cornice originale. La figura all'estrema destra, supposto [Clapp] ritratto di Ludovico Capponi (nato nel 1482), pare piuttosto un autoritratto del Pontormo [Berti].

Ne esistono vari disegni preparatori agli Uffizi, a Oxford e al British Museum di Londra.

98. ANNUNCIAZIONE

af 368×168 1527-28c

'Strappata' nel 1967 ed esposta nella mostra itinerante di affreschi toscani [Baldini, *Affreschi da Firenze*, 1971]. Ne

103

esistono disegni preparatori agli Uffizi.

99. MADONNA CON IL BAMBINO. Firenze, Capponi

ol/tv diam. 80 1527-28c

Citata dal Vasari ("al medesimo Lodovico [Capponi] fece un quadro di Nostra Donna per la sua camera, della medesima maniera [della pala di S. Felicita]"), era considerata perduta; fu ritrovata dal Gamba [1956] poco prima della mostra del Pontormo, dove venne esposta. Il dipinto era stato ridotto in forma ovale e alterato da ridipinture del secolo XVIII; ne è stato iniziato il restauro. Per Berti [1964] è del 1527-28; per la Cox Rearick, del 1525-26; per Forster [1966], del 1526c. Si consideri però che analogie stilistiche sono riscontrabili soprattutto con la *Deposizione* (n. 97), dove si confronti la testa della donna al vertice con quella della Madonna.

100. FRANCESCA DI LUDOVICO CAPPONI

tv 1526-28

Era raffigurata come s. Maria Maddalena. Mentre il Massai [1924] l'aveva identicata erroneamente con una copia da Andrea del Sarto, il Berti si riserva di pubblicare una versione in proprietà privata che ha la possibilità di identificazione con l'opera scomparsa del Pontormo, condotta al tempo della cappella di S. Felicita.

101. MADONNA CON IL BAMBINO E S. GIOVANNINO. Firenze, Uffizi

ol/tv 89×73 1527-28c

Talora menzionata come *Carità*. È identificabile con l'opera citata nella Tribuna degli Uffizi già nel 1589 ("Un simile in asse, di una Vergine con N. S. e santo Giovanni [...] di mano di Iacopo da Puntormo"), e che poi fu anche a Pitti. Ritrovata nei magazzini degli Uffizi e pubblicata da Gamba nel 1907 (datandola 1530), da Clapp e altri venne riferita al momento dei dipinti di S. Felicita (1525-28), dalla Becherucci verso il 1529-31, da Berenson talora più tardi e talora poco dopo S. Felicita. Incerto anche Berti, che prima [1956] proponeva una data intorno al 1528-30, poi [1964] anche più tardi. La Cox Rearick, nel pubblicare i disegni relativi agli Uffizi [1964], ha indicato il 1527-28c, accostando giustamente il dipinto al *S. Gerolamo* di Hannover (n. 102) per l'incurvarsi della figura; e certo, oltre alla concentrazione plastica, attinta dal tondo Doni di Michelangelo, e il formalismo allungato ed 'eroico', dalle più recenti tombe medicee del Buonarroti, si avverte un certo sentore anche da Leonardo — come ben notavano Clapp e in seguito la Cox Rearick — nel tendersi affettuoso della Vergine, sul tipo della *S. Anna* del Vinci. Forster [1966] sostiene invece la data 1530-32.

102. S. GEROLAMO PENITENTE. Hannover, Niedersächsisches Landesmuseum (Städtische Galerie)

ol/tv 105×80 1527-28c

Proveniente dalla collezione Kestner di Roma (1777-1854) con un'attribuzione a Leonardo, fu trovato (1951) nei magazzini di Hannover e poi pubblicato da Oertel ["MKI" 1955], che lo datava verso il 1525; venne esposto alla mostra "Fontainebleau e la Maniera italiana" a Napoli nel 1952, ma non a quella fiorentina del Pontormo nel 1956. Esistono disegni relativi agli Uffizi [Cox Rearick, 1964], però l'opera non è citata dal Vasari. Mentre Oertel vi vedeva una diretta continuazione del periodo della certosa del Galluzzo. Berti [1964] e la Cox Rearick hanno rilevato analogie piuttosto con lo stile dei dipinti di S. Felicita, il che porta a una cronologia verso il 1527-28 (anche Forster ritarda almeno al 1526-27). Il dipinto è incompiuto. Si tratta di un'opera di grande suggestione, nella figura rotante (in questo affine alla Madonna di cui al n. 101, e all'angelo annunciante nella cappella Capponi, n. 98) del giovane, tormentato penitente.

104 [Tav. LV-LVII]

105 [Tav. LIX]

6 [Tav. LVIII]

7

8

9

103. MADONNA CON IL BAMBINO E S. GIOVANNINO. Firenze, Galleria Corsini

ol/tv 52×40 1526-28c(?)

Opera di grazia molto raddolcita. Accolta da Clapp [1916], che la data al momento della pala di S. Felicita (n. 97), e da Berenson [1963]. Respinta invece dalla Cox Rearick e da Forster; Berti ["BA" 1966] l'assegna al Bronzino (il s. Giovannino somiglia infatti molto al Bambino della *Sacra Famiglia* del Bronzino alla National Gallery di Washington), e così Shearman, che propone il riferimento al 1526.

104. VISITAZIONE. Carmignano, Pieve di S. Michele

ol/tv 202×156 1528-29c

Curiosamente, non risulta citata dal Vasari, ma solo dal Bocchi-Cinelli nel 1677, quando il disegno, o il bozzetto per il dipinto, apparteneva al senatore Andrea Pitti, e il dipinto stesso era nella villa dei Pinadori a Carmignano, dove costoro avevano una grossa proprietà. Venne pubblicata come Pontormo nel 1904 dal Gamba. A eccezione di Goldschmidt, che riferiva l'opera al 1536, si concorda generalmente nel porla verso il 1528-30, per la prosecuzione dello stile di S. Felicita. Il Berti [1964] pensava che il silenzio vasariano potesse spiegarsi semmai con il fatto che il dipinto fosse stato eseguito durante l'assenza del Bronzino da Firenze, nel 1530-32. Un disegno preparatorio agli Uffizi è datato dalla Cox Rearick [1964] intorno al 1528. Anche Forster propone la medesima data; e del resto la quinta architettonica di fondo a spigolo, e l'atmosfera scura, suggeriscono l'accostamento all'*Alabardiere* (n. 106). Continua qui la ricerca sofistica e dell'inusuale, perché la profana incisione di Dürer con le *Quattro donne* (1497) fornì al Pontormo lo spunto per l'insolita disposizione romboidale dei personaggi; e prosegue anche la singolare efficacia dello stile di S. Felicita, con figure anche qui in punta di piedi, voluminose, ma cui la gonfiatura enfatica dei panneggi sembra conferire una sorta di capacità aerostatica. Si notano semmai una accentuazione quasi più barocca, in questo panneggio, rispetto all'*Annunciazione* di S. Felicita (n. 98), e un ritorno a colpi luministici con cangiantismi, e al chiaroscuro; anzi in un'atmosfera generale serotina e malinconica, con la strada cinquecentesca che si apre nel fondo a sinistra tra palazzi altissimi e freddi che marcano d'ombra il terreno, e i due piccoli, fantomatici conversatori sulla panchina.

105. MADONNA CON IL BAMBINO, S. ANNA E ALTRI SANTI (Pala di s. Anna). Parigi, Louvre

ol/tv 228×176 1529c

Citata dal Vasari, venne eseguita per le monache di S. Anna in Verzaia (chiesa già esistente fuori porta S. Frediano), ma su commissione della Signoria, che il 26 luglio veniva in processione a quel convento per celebrare la cacciata del duca d'Atene, avvenuta appunto in tal giorno nel 1343. A sinistra della Madonna con il Bambino in grembo e s. Anna appaiono i santi Sebastiano e Pietro; a destra i santi Filippo e Benedetto; in basso, entro un medaglione, è raffigurata la Signoria fiorentina con trombetti, mazzieri, ecc. Nel 1813 la pala venne trasportata a Parigi con le requisizioni napoleoniche. Poiché i critici concordano nel giudicarla un'opera del periodo di S. Felicita (Clapp proponeva la data 1528; Berenson, 1527-30; la Becherucci, 1527c), è da considerarsi verosimilmente posteriore all'impegno assorbente nella cappella Capponi, ed eseguita per la Signoria antimedicea prima dello stringersi dell'assedio su Firenze (autunno 1529), quando d'altronde il convento per cui fu dipinta andò distrutto (il dipinto passò poi a S. Anna sul Prato). I termini cronologici vanno quindi precisati entro il 1529, datazione su cui concordano Berti, Forster e la Cox Rearick, quest'ultima supponendo piuttosto convincentemente che fosse compiuta per l'anniversario di S. Anna del 1529. Non si tratta, d'altra parte, di una pagina molto viva del Pontormo.

106. ALABARDIERE. New York, Chauncey Stillman

ol/tl 92×72 1529-30

Appartenne alle collezioni del cardinale Fesch, di Leroy d'Etiolles, e della principessa Matilde Buonaparte con l'attribuzione al Bronzino; ma appare già in un inventario [Keutner, "MKI" 1959] della collezione Riccardi a Firenze, del 1612: "Un ritratto della stessa grandezza [1 braccio e ¼] si crede di mano di Iacº [Pontormo] dell'Ecc.mo Duca Cosimo quand'era giovanetto, con calze rosse, e berretta rossa, e una picca in mano con arme a canto, e giubbone bianco, e collana al collo". All'identificazione con Cosimo I — che il Pontormo ritrasse subito dopo l'avvento al potere e la vittoria di Montemurlo, nel 1537 (si veda al n. 123) — si oppone però la mancanza di somiglianza, e anche i caratteri stilistici che rimandano al decennio precedente; né è detto che l'inventario riccardiano non si sbagliasse circa il soggetto; o che qualcuno volutamente spacciasse più tardi per ritratto di Cosimo quello che era invece di un difensore antimediceo di Firenze. Infatti pare meglio attenersi al dipinto in esame un'altra citazione vasariana: "Ritrasse similmente, nel tempo dell'assedio di Fiorenza, Francesco Guardi in abito di soldato, che fu opera bellissima: e nel coperchio poi di questo quadro, dipinse Bronzino, Pigmalione che fa orazione a Venere". Tale identificazione venne proposta da Voss [1920] e generalmente accolta, ma trovava due apparenti obbiezioni: il *Pigmalione e Galatea* del Bronzino (Firenze, Palazzo Vecchio) misura cm 81×60 e risulta quindi più piccolo del dipinto Stillman; Francesco Guardi (che fu nella Signoria del 1529) risulta nato nel 1466 [Keutner] e quindi al momento dell'assedio aveva sessantatré anni. Si tratta però [Berti, "BA" 1966] di due obbiezioni in fondo superabili, perché, quanto alle dimensio-

111¹

103

111 [Tav. LX]

112

ni del *Pigmalione e Galatea*, si noti l'importante circostanza che esse sono, sia in altezza sia in larghezza, inferiori di 11 cm rispetto all'*Alabardiere*, il che potrebbe far pensare che il coperchio fosse dotato di una cornice con la quale raggiungeva le medesime dimensioni della tela sottostante da coprire; per quanto concerne invece l'esistenza di un Francesco Guardi nato nel 1466, essa non esclude un omonimo molto più giovane (o un errore di nome del Vasari), tanto più che

114

appare improbabilissimo che il Guardi già così vecchio partecipasse alla milizia (la quale arruolò tra i 18 e i 36 anni). La Cox Rearick [1964] riferisce pure l'*Alabardiere* al 1527-28 (e non al 1537-38 come fa Forster accettando la tesi di Keutner), ma escludendo che l'effigiato sia il Guardi, il cui vero ritratto ritiene studiato in un dise-

116

gno degli Uffizi (n. 463 F, che potrebbe invece raffigurare un altro difensore di Firenze, quale il Neroni). Attenendosi al preciso periodo dell'assedio, il dipinto va datato 1529-30; e certo esso è degno del giudizio di "opera bellissima" del Vasari, nella figura spavalda ma di attitudine e costume eleganti, con una nota di psicologia apprensiva tipicamente pontormesca nel volto molto giovanile. La forma presenta una torsione obliqua e un gonfiarsi che la potenziano (si veda il braccio sinistro posato sul fianco, dalla splendida manica); il colore, note squillanti nella penombra in cui, dinanzi a un baluardo a spigolo, cubistico, veglia il giovane alabardiere. Il Varchi scrive che la gioventù fiorentina alle armi faceva allora "bello spettacolo", "sì perché egli erano non

meno utilmente armati che pomposamente vestiti", come appunto il nostro effigiato, si chiamasse egli Francesco Guardi o altrimenti (la Cox Rearick pensa, a causa della medaglia sul berretto, raffigurante Ercole e Anteo, che possa trattarsi di un conte Ercole Rangone menzionato nell'assedio di Firenze).

107. RITRATTO DI GIOVANE SUONATORE DI LIUTO

ol/tv 73×57 1530c

Già in collezione Guicciardini a Firenze. Pubblicato come Pontormo da Gamba [1921], che lo datava al 1525, venne esposto alla mostra del Cinquecento toscano (1940) con riferimento al periodo degli affreschi della certosa del Galluzzo; più tardi lo considerava invece la Becherucci [1944], collegandolo all'*Alabardiere* (n. 106). Esposto anche alla mostra "Le triomphe du Maniérisme européen" ad Amsterdam (1955), e a quella del Pontormo a Firenze nel 1956, ma con qualche dubbio del Berti che si trattasse — per certa maggiore astrazione che nell'*Alabardiere* — di un Bronzino, dubbio condiviso dalla Cox Rearick [1964]. A sua volta Forster [1966] lo escludeva. Va comunque riconsiderata [Berti, "BA" 1966] l'altissima qualità anche disegnativa del dipinto, troppo squisito per il giovane Bronzino; più opportuno quindi credere a un Pontormo del felice momento ritrattistico dell'*Alabardiere*.

108. S. SEBASTIANO. Firenze, propr. priv.

ol/tv 52,5×39,5 1530c

Pubblicato da Del Bravo ["P" 1962], che lo data intorno al 1530. Il dipinto appare spellato da una ripulitura in corrispondenza del torace e del braccio. Sulla sola base di una riproduzione fotografica è difficile discriminare tra il Pontormo e la sua scuola.

109. POMONA

af 1525-30

Dipinto per Filippo Del Migliore, amicissimo del Pontormo, dinanzi alla porta della sua casa in via Larga a Firenze, in una nicchia all'interno.
È stato posto in relazione col disegno n. 6570 Fr degli Uffizi (foto 109¹).

110. RESURREZIONE DI LAZZARO

115

tv 1529-30

Commissionata da Giovanbattista Della Palla per il re di Francia Francesco I al tempo dell'assedio di Firenze. La descrizione del Vasari, che elogia molto l'opera, fa intravedere una impressionante raffigurazione di Lazzaro redivivo, "avendo anco il fradiciccio intorno agli occhi, e le carni morte affatto nell'estremità de' piedi e delle mani, là dove non era ancora lo spirito arrivato".

111. GLI UNDICIMILA MARTIRI (Martirio di s. Maurizio). Firenze, Pitti

ol/tv 65×73 1529-30c

Dipinto per le monache dello Spedale degli Innocenti, e poi tenuto in gran pregio dallo Spedalingo don Vincenzo Borghini [Vasari]; per Carlo Neroni ne fu fatta una replica parziale ("con la battaglia de' martiri sola"), opera che si suole identificare con quella agli Uffizi (n. 112), che è però da assegnarsi come esecuzione, almeno in parte, al Bronzino. Ma, come attesta un disegno ad Amburgo (foto 111¹), la composizione era stata progettata dapprima per venire affrescata in una lunetta, per la compagnia dei martiri di Camaldoli a Firenze, per la quale pure progettò una raffigurazione dello stesso tema (non con la battaglia, ma con la condanna dei martiri) Perin del Vaga nel 1523. Pertanto, quando eseguì il dipinto di Pitti, il Pontormo inserì anche quella parte (la condanna) che in origine era stata da lui omessa e trattata invece da Perin [Merritt, "AB" 1963]. Mentre dunque il disegno di Amburgo deve risalire al 1522c, prima che il Pontormo si ritirasse per la peste alla certosa [Cox Rearick, 1964], l'opera in esame — secondo anche l'indicazione del Vasari — sarebbe successiva al momento stilistico di S. Felicita; Clapp la riferisce al 1528-29, la Cox Rearick e For-

ster al 1529-30, la Becherucci al 1529-31, Berti al 1530-31, Berenson al 1531-32. La replica eseguita dal Bronzino (si veda al n. 112) — che dopo l'assedio andò a Pesaro (non è certo però se proprio nel '30 o nel '31) — suggerisce una cronologia intorno al 1529-30; però la mano tesa dell'imperatore ricorda i gesti del '*Noli me tangere*' su cartone di Michelangelo, del '31 (si veda anche al n. 115). È stato rilevato il ritorno a forti interessi michelangioleschi, che il dipinto testimonia, per esempio, nella figura dell'imperatore seduto ispirata alle figurazioni dei duchi nella sagrestia nuova di S. Lorenzo. Da considerare anche che il *pathos* di lotta e martirio poteva attingere dalle stesse tragiche circostanze contemporanee dell'assedio e della successiva repressione medicea a Firenze (l'imperatore non somiglia al duca Alessandro?).

112. GLI UNDICIMILA MARTIRI (Martirio di s. Maurizio). Firenze, Uffizi

ol/tv 64×43 1529-31c

In collezione medicea dal XVIII secolo. Si tratta probabilmente della replica del n. 111 (si veda) eseguita per il Neroni con vasta collaborazione [Berti] o addirittura per intero dal Bronzino [Smyth, Cox Rearick]; e al Bronzino rimanda infatti il tipo di paesaggio ad alberi piuttosto scheletrici (come nel *Pigmalione e Galatea*) e la veduta di edifici nel fondo, tra cui palazzo Pitti, secondo un gusto che ricompare per esempio nella *Madonna Panciatichi* del Bronzino. È forse un ritratto o autoritratto del Pontormo la seconda figura sulla destra del tamburino, che si indica con la mano al petto [Berti, "BA" 1966]. L'opera è stata restaurata nel 1966.

113. CARLO NERONI

tv 1530c

118¹

118²

118³

Tav. LXI-LXII]

Tav. LXIII]

121

123   **123¹**

Citato dal Vasari in connessione con la replica degli *Undicimila martiri* per lui eseguita (si veda al n. 112).

114. AUTORITRATTO

ol/tv 52×37 1531-32(?)

Già nella collezione Contini Bonacossi a Firenze. Esposto alla mostra del Cinquecento toscano (1940) come supposto autoritratto del Pontormo, e poi a quella del Pontormo nel 1956. Il Berti ["QP" 1956-57] lo ha accolto come raffigurante il Pontormo, ma riferendolo a un pittore fiorentino della seconda metà del XVI secolo (Naldini?); la Cox Rearick [1964] sembra invece accoglierlo, datandolo intorno al 1530-32. Viene escluso pure da Forster [1966].

115. 'NOLI ME TANGERE'

ol/tv 124×95 1531-32

Già in proprietà privata a Milano. Nel 1531 Alfonso Davalos marchese del Vasto, uno dei generali imperiali vincitori di Firenze, ottenne da Michelangelo il cartone di un *'Noli me tangere'*, e si rivolse insistentemente al Pontormo per la traduzione in pittura, avendogli il Buonarroti detto che "niuno poteva meglio servirlo di costui"; e "avendo dunque condotta Iacopo quest'opera a perfezione, ella fu stimata pittura rara per la grandezza del disegno di Michelagnolo e per il colorito di Iacopo" [Vasari]. Alessandro Vitelli, altro comandante militare che teneva per Carlo V la piazza di Firenze, se ne fece fare dal Pontormo una replica, che portò "nelle sue case a Città di Castello". Due dipinti delle Gallerie fiorentine, oggi in Casa Buonarroti a Firenze, derivano dal cartone di Michelangelo; riguardo a uno di essi il Gamba suppose trattarsi dell'esemplare che Battista Franco ne trasse a sua volta, nel 1537 circa, quando il cartone si trovava in proprietà di Cosimo I de' Medici: derivazione che è citata nell'inventario della guardaroba medicea del 1553. In seguito Tolnay ha giustamente assegnato al Franco l'altro esemplare (che nel paesaggio è ispirato dalla stampa con *S. Eustachio* di Dürer); e giudicato il primo — che il Longhi in seguito assegnava al Bronzino, concordi l'Arcangeli e l'Emiliani — diretta derivazione non dal cartone, ma dai dipinti del Pontormo. L'opera in esame, già nota nel 1925 al Lavagnino che la giudicò un autografo pontormesco, e come tale segnalata anche dal Briganti nel 1945, fu proposta alla mostra del Pontormo del 1956 dall'Arcangeli e da Giorgio Morandi; e qui, esposta per la prima volta, venne accolta con plausibile dal Berti [1956 e 1964], dalla Marcucci, da Sanminiatelli, e così anche da Berenson [1963] e Forster [1966], che la considera o l'originale per il Davalos o la replica per il Vitelli. Il Procacci [*La Casa Buonarroti a Firenze*, 1965] ha giustamente notato che il *'Noli me tangere'* del Franco (cm 169×139) fu realizzato in dimensioni maggiori del cartone di Michelangelo, come attesta il Vasari, e che quindi l'altro analogo dipinto di Casa Buonarroti (che lo studioso non considera del Bronzino), essendo pressoché di uguali misure (172×134), è

una replica dal Pontormo, ma eseguita successivamente alla versione del Franco. Però, mentre il Procacci esclude anche l'esemplare privato di cui si tratta, si deve notare che le dimensioni di questo sono appunto inferiori, e quindi ciò, oltre all'elevata qualità, costituisce un buon indizio, in quanto dimostrerebbe una diretta attinenza al cartone michelangiolesco. Bellissima l'invenzione del malinconico paesaggio, con la muraglia che sale su un colle poi culminato da un borgo, paesaggio che deve essere stato ideazione originale del Pontormo.

116. VENERE E CUPIDO. Firenze, Uffizi

ol/tv 128×197 1532-34

Recentemente trasferita alla

122¹

122²

sede attuale dalla Galleria dell'Accademia. Dipinta su cartone di Michelangelo (1532-34c), per Bartolomeo Bettini, il quale intendeva "metterla in mezzo a una sua camera, nelle lunette della quale aveva cominciato a far dipingere dal Bronzino, Dante, Petrarca e Boccaccio, con animo di farvi gli altri poeti che hanno con versi e prose toscane cantato d'amore" [Vasari]. Ma poi l'opera fu ottenuta dal duca Alessandro (con sdegno di Michelangelo contro il Pontormo), e passò nelle collezioni medicee. Nel 1850 si credette di averla ritrovata nella tavola allora nei depositi delle gallerie fiorentine, che reca antiche numerazioni; identificazione accolta da Berenson, Clapp, Voss e messa in dubbio invece da Gamba e altri. Più recentemente, pare e-

scluderla la Cox Rearick e accoglierla con un margine d'incertezza il Berti [1964], accettarla invece decisamente Forster [1966].

Numerose copie del dipinto esistono in Italia e all'estero.

117. RITRATTO DI DAMA. Francoforte, Städelsches Kunstinstitut

ol/tv 89×70 1532-33c

Citato nell'inventario della pinacoteca dei Riccardi nel 1612: "Un ritratto di simile altezza di mano di Iac.° da Puntormo, dentrovi una donna con un cannino, e con ornam.to dorato". Acquistato nel 1802-08 a Firenze, fu nelle collezioni Le Brun, Fesch, Mailand; e infine nel 1882 giunse in proprietà del Kunstverein di Francoforte come Bronzino. Ma l'opera, genericamente creduta un ritratto della duchessa d'Urbino, aveva avuto anche altre precedenti attribuzioni (registrate nel catalogo della collezione Pourtalès) a Sebastiano del Piombo, per esempio, e ad Andrea del Sarto. Fu Berenson a restituirla per primo [1896] al Pontormo, seguito da Waetzoldt e dai catalogatori del museo. Quanto alla cronologia, il Gamba la poneva verso il 1535, la Becherucci al 1530. La Cox Rearick [1964] ascrive però il dipinto al Bronzino, e così Shearman [1965]; pure Forster [1966] lo esclude. Ribadisce l'attribuzione al Pontormo il Berti ["BA" 1966], notando, al di là dei facili riscontri, che in nessuna testa del Bronzino è ritrovabile la incisiva sottilità di contorno del ritratto di Francoforte, né quella tensione espansiva dell'impostazione di figura, né quel gonfiarsi energico e formalmente fantasioso della manica (si confronti invece la *Panciatichi* del Bronzino agli Uffizi). Il cannino è simile a quello della *Cena in Emmaus* (n. 85). Il rosso squillante dell'abito, con scarso chiaroscuro, è pure pontormesco piuttosto che bronzinesco. Anche la Forlani-Tempesti [1965] mantiene il dipinto al Pontormo. La data va posta prima dell'*Alessandro de' Medici* (n. 119), quindi verso il 1532-33, precedendo cioè la ritrattistica 'aristocratica' del Bronzino.

118. Decorazione di un salone a Poggio a Caiano

1532-34

Incaricato da Clemente VII, Ottaviano de' Medici dopo l'assedio di Firenze commissionò

124¹

124²

106

al Pontormo la prosecuzione e il compimento della decorazione del salone di Poggio a Caiano (si veda al n. 67); e il Pontormo preparò i cartoni, tra cui un *Ercole che fa scoppiare Anteo*, una *Venere e Adone*, "ed in una carta" una *Partita di calcio* (con giocatori ignudi). Ma non mise mai mano, nonostante tutti i solleciti, praticamente all'affrescatura. Al momento del Vasari i cartoni erano finiti per lo più in casa di Lodovico Capponi. Persisi essi, restano agli Uffizi alcuni disegni (tra cui i n. 13861 F, 6505 F, 6738 F; foto 118¹-118³) per la *Partita di calcio* [Cox Rearick, 1964].

119. ALESSANDRO DE' MEDICI. Filadelfia, John G. Johnson Collection

ol/tv 97×79 1534-35

Dal Vasari sappiamo che il duca Alessandro desiderò un

proprio ritratto dal Pontormo, il quale dapprima lo eseguì in piccole dimensioni, poi "in un quadro grande, con uno stile in mano disegnando la testa d'una femmina" (il duca era infatti un notorio, anzi incontenibile, dongiovanni). Il primo ritrattino, passato poi nella guardaroba di Cosimo I (dove lo copiò Battista Franco), è però andato perduto (e così la copia); resta invece questo ritratto più grande, che a Filadelfia è pervenuto dalla collezione Böhler di Monaco. Circa questo secondo esemplare si hanno anzi altre notizie da una lettera del 1571 di un certo Costantino Ansoldi da Casalmaggiore, già fedele e benvoluto servitore del duca Alessandro, al principe reggente Francesco de' Medici, in seguito a un bando di Cosimo I per la ricerca di quel dipinto. Iacopo, "famoso homo", aveva ritratto il

duca in palazzo Pazzi, dove Alessandro si recava a visitare (si sospetta per una tresca) le sorelle Taddea e Ricciarda Malaspina; e lo aveva dipinto "in habito da corrotto", cioè di lutto, perché era morto nel frattempo (15 settembre 1534) papa Clemente VII (che probabilmente era non lo zio, ma addirittura il padre naturale di Alessandro). L'Ansoldi, che fu lasciato come tutore del figlio di Alessandro, Giulio, e cui il duca in vita aveva donato quel suo ritratto, lo aveva a sua volta dato a Taddea Malaspina (il Vasari dice, più credibilmente, che alla Taddea l'aveva donato direttamente il duca); e con l'eredità di questa il dipinto era finito nella guardaroba di Massa, essendone la Ricciarda, sposata Cybo, la marchesa. Evidentemente i Medici non ne perseguirono poi l'acquisto. Il ritratto, identificato da Clapp

nel 1913, viene datato concordemente, in base alle indicazioni storiche, verso il 1534-35. Piuttosto suggestiva l'ampia e gonfia massa scura della figura sul fondo, giallo e grigio, dell'ambiente dalla porta socchiusa, con la testa del sensuale e violento Alessandro, cui il Pontormo ha saputo però conferire una certa spiritualità.

Un disegno del Pontormo raffigurante il duca Alessandro in profilo, però visto con tratti sgradevoli, è stato rinvenuto alla Biblioteca Marucelliana da Giulia Brunetti, che lo pubblicherà.

120. RITRATTO DI GIOVANET-TO

af 66×51 1534-35(?)

Già nella collezione Contini Bonacossi a Firenze. Esposto sia alla mostra del Cinquecento toscano (1940) con l'attribu-

zione all'età matura del Pontormo, sia a quella del Pontormo nel 1956. Mentre la Toesca [1943] lo aveva accettato, il Berti [1956] proponeva l'attribuzione al Foschi, e la Cox Rearick [1964] lasciava sospeso il giudizio, collegando però bene con il disegno n. 443 Fr degli Uffizi (foto 120¹), e datando al 1534-35. Il ritratto viene espunto anche da Forster [1966].

121. RITRATTO DI GIOVANET-TO. Milano, Castello Sforzesco

ol/tv 98×73 1535(?)

Già nella galleria Rinuccini a Firenze con l'attribuzione al Bronzino, poi nella collezione del principe Trivulzio. Assegnato da Berenson [1909] al Pontormo, venne datato da Clapp verso il 1521-22; su una data simile concorda Voss, mentre la Becherucci lo poneva circa al 1530, e il Gamba al 1535. Incerto se attribuirlo al Pontormo, intorno al 1535 appunto, il Berti alla mostra del 1956, poi però [1964 e 1966] propendendo per il Bronzino, cui pure lo assegnano il Longhi e la Cox Rearick [1964], mentre lo scarta come Pontormo anche Forster [1966]. Al Bronzino lo riconosce pure Emiliani [*Bronzino*, 1960], nel momento di affrancamento (poco dopo il 1532) dal Pontormo, di cui il ritratto milanese conserva certa inquieta psicologia.

122. Decorazione della loggia di Careggi

1535-36

Ordinata dal duca Alessandro de' Medici, concerneva le pareti di una loggia della villa medicea di Careggi. Il lavoro venne diretto dal Pontormo ma con l'aiuto del Bronzino, e in parti secondarie di altri due suoi discepoli, Iacopo e Pier Francesco Foschi. Vi figuravano nei peducci allegorie della *Fortuna*, *Giustizia*, *Vittoria*, *Pace*, *Fama*, *Amore* (questa di mano del Pontormo), putti e animali nella volta. L'opera fu terminata il 13 dicembre 1536, non molti giorni prima dell'assassinio del duca Alessandro, evento che bloccò la prosecuzione dei lavori in una seconda loggia.

Schizzi per i putti della volta sono ritenuti quelli in alcuni disegni degli Uffizi (tra cui il n. 458 Fr; foto 122¹), mentre altri fogli presentano figure allegoriche (tra cui il n. 6584 Fr; foto 122²).

123. COSIMO I DE' MEDICI. Firenze, Museo Mediceo

ol/tv 47×31 1537

Il Vasari attesta che il Pontormo, dopo la vittoria di Montemurlo (agosto 1537), ritrasse "Sua Eccellenza [Cosimo I] [...] così giovinetta come era [...] e parimente la signora donna Maria sua madre". Il Gamba [1910] propose l'identificazione con il ritratto in esame, che corrisponde ad un bellissimo disegno degli Uffizi (n. 6528 Fv; foto 123¹), e lo datò nei primi mesi del 1537, all'inizio del principato di Cosimo (allora diciottenne), per l'assenza nell'effigie della barba, che il duca cominciò a farsi crescere alla fine dello stesso anno; Clapp lo riferì invece al periodo tra il

125

126 [Tav. LXIV]   126¹

127   128   128¹

130

132

131

1538 e il '43. Keutner ["MKI" 1959] ha assegnato il ritratto alla bottega del Vasari, e la Cox Rearick [1964] lo ha giudicato una copia dal disegno o dal dipinto che il maestro ne trasse. Keutner e Forster [1966] identificano l'opera citata dal Vasari con l'*Alabardiere* di New York (n. 106). Secondo il Berti [1965], forse l'esecuzione — da giudicare però dopo una pulitura — è di Pier Francesco Foschi, allievo del Pontormo; ma si tratta comunque del me-

desimo dipinto menzionato dal Vasari.

124. Decorazione della loggia di Castello
1538-43

Eseguita a olio in una prima loggia, a sinistra, nella villa medicea, recava varie figurazioni allegoriche: *Saturno con il segno del Capricorno, Marte ermafrodito con il segno del Leone e della Vergine, Putti*, e "in certe femminone grandi e

quasi tutte ignude", la *Filosofia*, l'*Astrologia*, la *Geometria*, la *Musica*, l'*Aritmetica*, *Cerere*, nonché varie storiette entro medaglioni. Come a Careggi, vi collaborarono il Bronzino e altri.

Alcuni disegni degli Uffizi (tra cui i n. 6683 F e 6630 F; foto 124¹ e 124²) sono stati posti in relazione con il complesso [Cox Rearick, 1964].

125. RITRATTO DI GENTILUOMO CON LIBRO
tv 1540c

Già in proprietà privata a Firenze. Pubblicato dal Longhi ["P" 1952] e da lui riferito circa il 1534, supponendolo, ma in via del tutto ipotetica, il ritratto di "Amerigo Antinori, giovane allora molto favorito in Firenze", citato dal Vasari come eseguito prima di quello di Alessandro de' Medici (n. 91). Il Longhi notava come "nella misura slungata, manieristica, della tavola la figura di garbo sottile, longilinea anch'essa, occupa quasi tutta l'altezza a disposizione come un liuto nella custodia [...] la testa intelligente e patetica [...] il dorso della mano destra, pendula [...] nell'altra mano scatta il libro aperto, fermato dalla luce forte come in una naturista d'età più tarda". Accolto dal Berti [1964], lo è anche, con riserva, dalla Cox Rearick [1964], e ambedue lo accostano al ritratto di Niccolò Ardinghelli (n. 126); lo esclude invece Forster [1966]. Il Berti ["BA" 1966] ha poi avanzato, ma in via del tutto ipotetica, l'idea che l'effigiato possa essere Giovanni Guidiccioni (1500-1548), tra l'altro poeta petrarchesco (il che bene si adatterebbe al libro), di cui par-

rebbe che il Pontormo avesse dipinto un ritratto a Roma nel 1539 (data pure conveniente); ma lasciano in dubbio sia l'aspetto forse troppo giovanile, sia l'abito non da ecclesiastico, mentre il Guidiccioni lo fu.

126. NICCOLÒ ARDINGHELLI (erroneamente: MONSIGNOR DELLA CASA). Washington, National Gallery of Art (Kress)
ol/tv 102×79 1540-43c

Il Vasari cita un ritratto eseguito dal Pontormo del "vescovo Ardinghelli, che poi fu cardinale" (nel 1543). Precedentemente l'Ardinghelli (nato nel 1503) era stato canonico di S. Maria del Fiore (cui allude il fondo del dipinto) e vescovo. Il ritratto, appartenuto al marchese Bargagli a Firenze, e passato a Trotti a Parigi nel 1909, poi a New York, è stato acquisito dalla collezione Kress nel 1952. Già ascritto a Sebastiano del Piombo, Suida ["GBA" 1946] lo ha restituito al Pontormo (o Bronzino), ritenendolo databile al 1541-44, ma identificandolo come monsignor Della Casa, che nel periodo indicato fu a Firenze. La proposta venne accolta alla mostra del Pontormo del 1956 e dalla Cox Rearick [1964], anche per quanto concerne il disegno preparatorio agli Uffizi (n. 443 Fv; foto 126¹) — che Clapp invece aveva già pensato in relazione con il ritratto dell'Ardinghelli; Forster ["PT" 1964] ha poi collegato il dipinto con la citazione vasariana. La data resta comunque intorno al 1540-43.

127. MARIA SALVIATI CON UNA BAMBINA. Baltimora, Walters Art Gallery

ol/tv 87×71 1537-41c

Compare nell'inventario del 1612 della Pinacoteca Riccardiana come "Un quadro di br.ª uno e mezzo della Signora donna Maria Medici con una puttina per mano di Jacopo da Pontormo"; poi, sullo scorcio del secolo scorso, con l'attribuzione a Sebastiano del Piombo, e l'identificazione dell'effigiata in Vittoria Colonna, nel catalogo della collezione Massarenti di Roma. Passata l'ope-

130¹

ra a Baltimora, King [1940] dopo un restauro vi riconosceva di nuovo le sembianze di Maria Salviati (1499-1543) e nel putto Cosimo di circa sette anni, il che poneva l'opera intorno al 1526. Tale ipotesi veniva accettata dal Gamba, ma il Berti [1956] notava che poteva trattarsi di un dipinto 'retrospettivo', raffigurante la Salviati vedova di Giovanni delle Bande Nere nell'atto di allevare il futuro duca, e che addirit-

129

133[1]

133 A[1]

133 B[1]

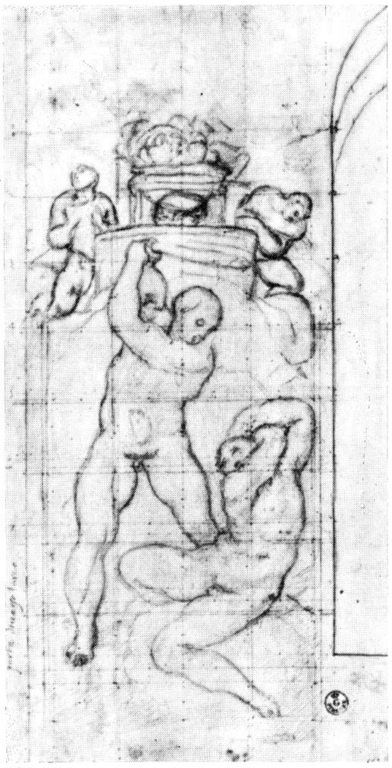
133 D[1]

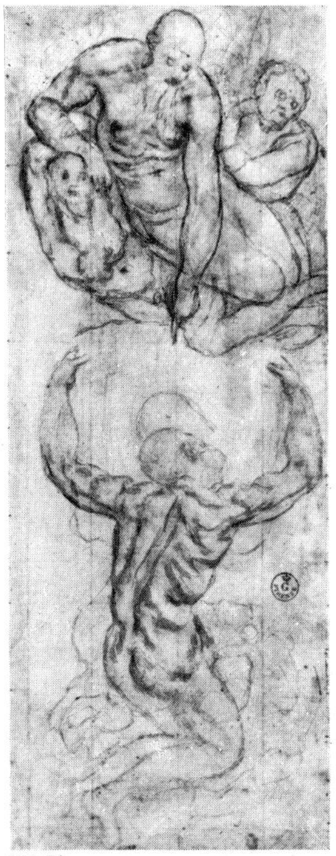
133 F[1]

133 G[1]

133 H[1]

133 J[1]

133 L[1]

133 I[1]

133 M[1]

133 O[1]

tura poteva identificarsi con il ritratto della Salviati del 1537, citato dal Vasari. Successivamente lo stesso autore ["BA" 1966] ha però osservato che con la Salviati compare una bambina, piuttosto che un bambino, e ha pensato a Bia, la prima figlia (naturale) di Cosimo, nata nel 1536 o '37, morta all'inizio del 1542, che soggiornò frequentemente presso la nonna a Castello: il ritratto potrebbe essere allora del 1541, data anche stilisticamente più convincente del 1526. Del resto anche la Cox Rearick [1964] ha notato che "la ieratica impostazione della madre e del bambino, l'intrecciarsi delle mani, e la preminente posizione del medaglione sono chiaramente riferimenti alla successione di Cosimo e al suo destino di sovrano Medici", corroborando così la tesi di una datazione posteriore comunque (si tratti di Cosimo o di Bia) all'ascesa al potere di Cosimo nel 1537. Forster [1966] esclude l'opera dal *corpus* autografo del Pontormo.

128. MARIA SALVIATI. Firenze, Uffizi

ol/tv 87×71 1543-45(?)

Acquistata a Siena dai signori Ciaccheri Bellanti come opera di scuola senese; già nel 1932 venne assegnata al Pontormo da Berenson. Poi Lányi ["MKI" 1933] la identificò con il ritratto della Salviati citato dal Vasari (si veda al n. 127), datandola tra il 1537 (inizio del ducato del figlio Cosimo) e il 1543, anno di morte della Salviati. Il disegno degli Uffizi n. 6503 Fr (foto 128[1]) è indubbiamente in rapporto con il ritratto, anche se il volto della donna vi appare più vecchio. Il Gamba [1956] non pensa però che l'effigiata sia Maria Salviati, né che l'opera sia del Pontormo, bensì soltanto che derivi dal citato disegno con esecuzione di artista senese. Dubbioso pensa anche il Berti [1956], il quale, per spiegare l'aspetto giovanile della Salviati nel dipinto (e non nel disegno), pensava a un ritratto adulatorio o meglio idealizzato *post mortem*, tesi cui aderiva la Cox Rearick [1964] proponendo una datazione al 1543-45. Successivamente il Berti [1964 e 1966] scartava addirittura il dipinto, definendolo copia cinquecentesca di mano senese da un originale del Pontormo; e lo escludeva, giudicandolo anzi severamente, anche Forster [1966].

129. SACRA FAMIGLIA. Monaco, Alte Pinakothek

ol/tv 120×102 1545c

Nonostante la scritta sul libro retto dalla Vergine, indicante come autore il Pontormo, il dipinto, considerato autografo da Morelli e Goldschmidt, fu messo in dubbio da Clapp, che lo giudicò una replica. Del resto se ne conoscono altre dodici versioni [Pittaluga, "A" 1933] — tra cui una in proprietà Frascione già Ferroni dichiarata autografa da Longhi nel catalogo della mostra del 1956 —, nessuna delle quali tuttavia è accolta in genere come originale. La Cox Rearick [1964] ha accostato l'opera, per la tipologia della Madonna e per la figura serpentina in alto, all'arazzo con *Beniamino alla corte del farao-*

ne (n. 130) e a un disegno relativo agli Uffizi (n. 6593 F), il che la porta a una datazione al 1545-50; Forster [1966] riferisce il perduto autografo invece, al 1540-43; il Berti [1964] giunge fino al 1545: i tre studiosi, comunque, escludono qualsiasi esemplare come originale. Si è voluto identificare il prototipo pontormesco con la *Madonna* che, secondo la testimonianza del Vasari, l'artista diede al Rossino muratore e poi passò a Ottaviano de' Medici; la Cox Rearick propone invece il "quadro di Nostra Donna" citato dal Vasari subito dopo gli arazzi (con la notizia però "che fu dal duca donato al signor don ... che lo portò in Ispagna"). Il Berti, considerata l'esistenza di tante copie contemporanee, ha pensato piuttosto alla *Madonna* trovata nello studio dell'artista alla sua morte, e poi venduta al Salviati, "un quadro di Nostra Donna stato da lui molto ben condotto, per quello che si vide, e con bella maniera, molti anni innanzi" [Vasari]: un esemplare cioè che, rimasto a Firenze, e nel momento in cui dopo la morte si riaccendeva l'interesse per l'arte del Pontormo, poté venire copiato da vari artisti, sia per la corte medicea sia per altri privati committenti. Comunque questa Madonna in umiltà, che viene a costituire una gonfia forma piramidale in cui si inserisce il curvo Bambino, e quel fondo di compenetrata cristallografia cubistica degli edifici (un paese di terribile, alta malinconia) con la porta presso il cui fornice si scalano il s. Giovannino, il s. Giuseppe e s. Anna (?), sono veramente di concezione bellissima e originale.

'Storie' di Giuseppe

La stupenda serie, in totale venti arazzi con 'storie' di Giuseppe, fu tessuta (1546-53) dai fiamminghi G. Rost e N. Karker, ma oggi si trova illogicamente divisa tra Palazzo Vecchio a Firenze (per ornare la cui sala dei Duecento gli arazzi furono creati) e il Quirinale a Roma. I cartoni furono i più del Bronzino, uno del Salviati e uno del Pontormo (i tre arazzi relativi sono attualmente esposti al Quirinale). Infatti il Vasari testimonia che il Pontormo fornì i cartoni per due episodi (*Il lamento di Giacobbe* e *Giuseppe e la moglie di Putifarre*), i quali però non piacquero né al duca né egli arazzieri; inoltre da un documento del 1549 risulta che su disegno di Iacopo era anche un altro arazzo, "detto la coppa di Iosef", pure di dimensioni limitate in larghezza, il quale è identificabile con *Beniamino alla corte del faraone*. Clapp riferiva al 1545-46 i cartoni del *Lamento di Giacobbe* e di *Giuseppe e la moglie di Putifarre*, al 1546-53 il cartone del *Beniamino*, non avvertendo però che quest'ultimo arazzo risulta già eseguito nel 1549, mentre è il *Lamento di Giacobbe* che parrebbe terminato solo nel 1553. La Cox Rearick [1964] ritiene che l'arazzo attuale con *Giuseppe e la moglie di Putifarre* sia però in effetti su disegno del Bronzino e non del Pontormo (il cartone di questo, non

essendo piaciuto, sarebbe stato sostituito), e data i cartoni del Pontormo al 1545-49. Uguali le conclusioni di Forster [1966] sia per quanto concerne l'attribuzione sia per la cronologia.

130. BENIAMINO ALLA CORTE DEL FARAONE

arazzo 550×270 1545-46c

Se ne dà uno dei disegni preparatori degli Uffizi (n. 6593 Fr) alla foto 130[1].

131. IL LAMENTO DI GIACOBBE

arazzo 557×262 1545-46c

132. GIUSEPPE E LA MOGLIE DI PUTIFARRE

arazzo 565×278

---

133. Decorazione del coro di S. Lorenzo

1546-56

Dal 1546 fino alla morte, nel 1556, il Pontormo fu tutto preso dai lavori per il grande ciclo di affreschi nel coro di S. Lorenzo a Firenze, affidatogli dal duca Cosimo. Opera estremamente impegnativa, trattandosi della cappella maggiore della basilica di patronato dei Medici, e dove si andava dicendo che l'artista presumesse superare lo stesso Michelangelo. Il ciclo, portato a termine, dopo la morte del Pontormo, nell'ultima parte negli ultimi episodi del *Diluvio* e della *Resurrezione* dal Bronzino, andò però irreparabilmente distrutto nel 1742 per lavori al coro; tuttavia, oltre alle descrizioni del Vasari e del Bocchi-Cinelli (e un'altra del Cirri), il ciclo è testimoniato da una trentina di disegni originali e dagli schizzi a margine del *Diario* del Pontormo, cosicché se ne è potuta tentare una ricostruzione da parte prima di Clapp [1916] e poi di Tolnay ["CA" 1950 e 1963] e della Cox Rearick [1964]. La ricostruzione si è avvalsa specialmente di un'incisione del 1598 (Vienna, Albertina; foto 133[1]) che riproduce l'addobbo del coro per le cerimonie funebri in onore di Filippo II di Spagna (va notato che l'incisione risulta, come al solito, invertita). Delle raffigurazioni si indicano pertanto qui di seguito l'ubicazione originaria e il disegno preparatorio (ove esista) più complessivo. Nella parete di fondo, in alto, da sinistra a destra: [A] *Cacciata dal paradiso terrestre* (disegno a Dresda, Kupferstichkabinett, n. C65; foto 133 A[1]); [B] al centro, *Cristo giudice in gloria*, e *Creazione di Eva* (disegno agli Uffizi, n. 6609 F; foto 133 B[1]); [C] *Peccato originale* (senza disegno relativo). Nella parete di sinistra, in alto, a sinistra a destra: [D] *Caino e Abele* (disegno agli Uffizi, n. 6739 Fr; foto 133 D[1]); [E] *Noè* (senza disegno relativo); [F] *Mosè* (disegno agli Uffizi, n. 6749 Fr; foto 133 F[1]). Nella parete di destra e sempre in alto, a sinistra a destra: [G] *I quattro Evangelisti* (disegno agli Uffizi, n. 6750 F; foto 133 G[1]); [H] *Sacrificio di Isacco* (disegno a Bergamo, Accademia Carrara, n. 2357; foto 133 H[1]); [I] *Adamo ed Eva al lavoro* (disegno agli Uffizi, n.

6535 F; foto 133 I[1]). Nella zona inferiore, nella parete di sinistra: [J] *Diluvio universale* (disegni agli Uffizi, n. 6752 Fr [foto 133 J[1]] e altri). Nella parete di fondo: [K] *Due morti che reggono una torcia accesa* (senza disegno relativo); [L] *Martirio di s. Lorenzo* (disegno agli Uffizi, n.

6560 F; foto 133 L[1]) e sopra: [M] *Ascensione delle anime al cielo* (disegno a Venezia, Gallerie, n. 550; foto 133 M[1]); [N] *Due morti che reggono una torcia accesa* (senza disegno relativo). Nella parete destra: [O] *Resurrezione dei corpi* (disegni agli Uffizi, n. 6528 Fr [foto 133 O[1]] e altri).

Altre opere attribuite

Si dà conto, in aggiunta al corpus del Pontormo qui presentato, già abbastanza ampio rispetto al rigore restrizionistico di altre monografie, di proposte attributive successive al 1964, rimandando allo studio dello scrivente edito in tale data per un elenco, occorrendo motivato, delle esclusioni rispetto a Berenson [1963] e altri.

134. MADONNA CON IL BAMBINO E S. GIOVANNINO. Londra, National Gallery

Recente acquisto del museo ["GBA" 1967].

135. S. MICHELE ARCANGELO E IL DEMONIO. Torino, Museo Civico

ol/tl 95×60,5

Proviene da una collezione milanese. Pubblicato, assieme ai n. 136 e 137, dal Longhi ["P" 1969], che lo suppone "probabile resto di un trittico o di due ante" e lo collega al *S. Michele* di Pontorme (n. 62). Si tratta forse, invece, di un'opera del Bronzino al tempo di S. Felicita.

136. CRISTO DI PASSIONE

tv 58×44,5

Riferito dal Longhi ["P" 1969] al periodo della certosa del Galluzzo (si veda anche al n. 135).

137. MADONNA CON IL BAMBINO

tv 73×59

Pubblicata dal Longhi (si veda al n. 135). Strana opera desunta da un bassorilievo di Desiderio da Settignano e datata al periodo 1525-30.

138. MADONNA CON IL BAMBINO E S. GIOVANNINO

tv 103×77

Esempio di attribuzione del tutto inammissibile, con cui l'opera venne esposta alla Galerie Beckers di Düsseldorf ["AP" 1965].

109

135

134

136

137

138

Repertori

Indice dei titoli e dei temi

110

Adamo ed Eva cacciati dal Paradiso terrestre 64
Adorazione dei Magi 66
Agostino (S.) 69, 88
Alabardiere 106
Amici (Ritratto di due —) 74
Andata al Calvario 80
Anna, S. (Madonna con il Bambino, — e altri santi) 105; (Pala di —) 105
Annunciazione 1, 98
Antinori (Amerigo) 125
Antonio (S.) Abate 63
Apollo e Cupido 4
Apollonia (S.) 52
Ardinghelli (Niccolò) 126
Arme (con due putti) 23; (del cardinale Giovanni Salviati) 54; (di papa Leone X) 7
Autoritratto 114
Bartolomeo (S.) 44
Battesimo di Cristo 9
Battista (Natività del) 89
Benedetto (S.) 49
Beniamino alla corte del faraone 130
Boldrone (Tabernacolo di —) 86-88
Calvario (Andata al —) 80
Capponi, cappella (Decorazione della —) 93-98
Capponi (Francesca di Ludovico) 100
Careggi (Decorazione della loggia di —) 122
Carità 101
Carro della Moneta ('Storie' del —) 8-17
Casa (Monsignor Della) 126
Castello (Decorazione della loggia di —) 124
Cecilia (S.) 59
Cena in Emmaus 85
Certosa del Galluzzo ('Storie' della Passione alla —) 78-82
Compianto su Cristo morto 55
Converso certosino (Ritratto di —) 83
Cristo (Battesimo di —) 9; (Compianto su — morto) 55; (dinanzi a Pilato) 79; (di Passione) 136; (morto e due profeti) 2; (pellegrino) 22
Crocifisso con la Madonna e S. Giovanni 86
Cupido (Apollo e —) 4; (Venere e —) 116
Dafne (Metamorfosi di —) 5
Dama (con cestello di fusi) 36; (Ritratto di —) 117
Decorazione (del coro di S. Lorenzo) 133; (della cappella Capponi) 93-98; (della loggia di Careggi) 122; (della cappella del Papa) 25-34; (della

loggia di Castello) 124; (di un salone a Poggio a Caiano) 118
Deposizione 81, 97
Dio Padre 26
Emmaus (Cena in —) 85
Episodio di vita ospedaliera 18
Eva v. Adamo
Fede e Carità 6
Francesca di Ludovico Capponi 100
Francesco (S.) 46
Gentiluomo con libro (Ritratto di —) 125
Gerolamo (S.) 51; (penitente) 70, 102
Giacobbe (Il lamento di —) 131
Gioielliere (Ritratto di —) 39
Giovane (Ritratto di —) 73
Giovanetto (Ritratto di —) 91, 120, 121
Giovanni Battista (S.) 10
Giovanni, S. (Crocifisso con la Madonna e —) 86
Giovanni Evangelista (S.) 11, 61, 93
Giovannino, S. (Madonna con il Bambino e —) 56, 77, 101, 103, 134, 138; (Sacra Famiglia con —) 72
Giuliano (S.) 87
Giuseppe (e la moglie di Putifarre) 132; (in Egitto) 43; (si rivela ai fratelli) 40; ('Storie' di —) 130-132; ('Storie' di — della camera Borgherini) 40-43; (venduto a Putifarre) 41
Guardi (Francesco) 106
Lamento (Il) di Giacobbe 131
Lazzaro (Resurrezione di —) 110
Leda 3
Leone X (Arme di papa —) 7
Lorenzo, S. 45; (decorazione del coro di —) 133
Luca (S.) 94
Madonna 90; (con il Bambino) 21, 37, 76, 99, 137; (con il Bambino e due santi) 71; (con il Bambino e s. Giovannino) 56, 77, 101, 103, 134, 138; (con il Bambino e santi) 53; (con il Bambino, s. Anna e altri santi) 105; (Crocifisso con la — e s. Giovanni) 86
Magi (Adorazione dei —) 66
Marco (S.) 95
Martirio di s. Maurizio 111, 112
Matteo (S.) 12, 96
Maurizio, S. (Martirio di —) 111, 112
Medici (Cosimo il Vecchio de' —) 58; (Cosimo I de' —) 123; (Alessandro de' —) 91[?], 119;

(Ippolito de' —) 92
Metamorfosi (degli dei) 4, 5; (di Dafne) 5
Michele Arcangelo (S.) 62; (e il demonio) 135
Moneta ('Storie' del carro della —) 8-17
Musicista (Ritratto di —) 57
Natività 84; (del Battista) 89
Neroni (Carlo) 113
'Noli me tangere' 115
Orazione nell'orto 78
Pala (di S. Anna) 105; (Pucci) 53
Pietà 48, 75
Pietro (S.) 47
Poggio a Caiano (Decorazione di un salone a —) 118
Pomona 67, 109
Pontorme ('Santi' di —) 61, 62
Predella (La) di Dublino 44-52
Pucci (Pala) 53
Putifarre (Giuseppe venduto a —) 41
Putti 14-17; (con strumenti della Passione) 27-30; (e stemmi di Leone X) 31-34
Quintino (S.) 38
Resurrezione 82; (di Lazzaro) 110
Ritratto (di converso certosino) 83; (di dama) 117; (di due amici) 74; (di gentiluomo con libro) 125; (di gioielliere) 39; (di giovane) 73; (di giovane suonatore di liuto) 107; (di giovanetto) 91, 120, 121; (di musicista) 57; (d'uomo in profilo) 68; (femminile) 20
Sacra Famiglia 129; (con s. Giovannino) 72
Salviati, Giovanni (Arme del cardinale —) 54
Salviati, Maria 128; (con una bambina) 127
'Santi' di Pontorme 61, 62
Sebastiano (S.) 24, 108
Sibilla 60
'Storie' (del carro della Moneta) 8-17; (della Passione alla Certosa del Galluzzo) 78-82; (di Giuseppe) 130-132; (di Giuseppe della camera Borgherini) 40-43; (sacre e stemmi) 65
Suonatore di liuto (Ritratto di giovane —) 107
Supplizio (Il) del fornaio 42
Tabernacolo di Boldrone 86-88
Uomo in profilo (Ritratto di —) 68
Venere e Cupido 116
Veronica (La) 25
Vertunno e Pomona 67
Visitazione 8, 35, 104
Zanobi (S.) 13, 50

Indice topografico

Baltimora
Walters Art Gallery
Maria Salviati con una bambina 127

Brunswick (Maine)
Bowdoin College Museum of Art
Metamorfosi di Dafne 5

Carmignano (Firenze)
Pieve di S. Michele
Visitazione 104

Città del Messico
Museo de San Carlos
Madonna 90

Digione
Musée des Beaux-Arts
S. Sebastiano 24

Dublino
National Gallery of Ireland
Pietà 48
S. Apollonia 52
S. Bartolomeo 44
S. Benedetto 49
S. Francesco 46
S. Gerolamo 51
S. Lorenzo 45
S. Pietro 47
S. Zanobi 50

Empoli (Firenze)
Museo della Collegiata
S. Giovanni Evangelista 61
S. Michele Arcangelo 62

Filadelfia
John G. Johnson Collection
Alessandro de' Medici 119

Firenze
Capponi
Madonna con il Bambino 99

Galleria Corsini
Madonna con il Bambino e s. Giovannino 77, 103

Galleria degli Uffizi
Adamo ed Eva cacciati dal Paradiso terrestre 64
Cena in Emmaus 85
Cosimo il Vecchio de' Medici 58
Dama con cestello di fusi 36
Leda 3

Madonna con il Bambino e due santi 71
Madonna con il Bambino e s. Giovannino 101
Maria Salviati 128
Natività del Battista 89
Ritratto di musicista (?) 57
S. Antonio Abate 63
Gli undicimila martiri 112
Venere e Cupido 116

Galleria dell'Accademia
Episodio di vita ospedaliera 18

Galleria Palatina (Palazzo Pitti)
Adorazione dei Magi 66
Ritratto d'uomo in profilo 68
Ritratto femminile 20
Gli undicimila martiri 111

Gallerie (depositi)
Crocifisso con la Madonna e s. Giovanni 86
Fede e Carità 6
Madonna con il Bambino 21
S. Agostino 88
S. Giuliano 87

Museo Mediceo
Cosimo I de' Medici 123

Palazzo Vecchio
Battesimo di Cristo 9
Putti 14-17
S. Giovanni Battista 10
S. Giovanni Evangelista 11
S. Matteo 12
S. Zanobi 13
Sibilla 60
Visitazione 8

Proprietà privata
S. Sebastiano 108

S. Felicita
Annunciazione 98
Deposizione 97
S. Giovanni Evangelista 93
S. Luca 94
S. Marco 95
S. Matteo 96

S. Maria Novella
Dio Padre 26
Putti con strumenti della Passione 27-30
Putti e stemmi di Leone X 31-34
La Veronica 25

S. Michele Visdomini
Madonna con il Bambino e santi 53

SS. Annunziata
Sacra conversazione 19
Visitazione 35

Francoforte
Städelsches Kunstinstitut
Ritratto di dama 117

Galluzzo (Firenze)
Museo della Certosa
Andata al Calvario 80
Cristo dinanzi a Pilato 79
Deposizione 81
Orazione nell'orto 78
Resurrezione 82

Hannover
Niedersächsisches Landesmuseum (Städtische Galerie)
S. Gerolamo penitente 102

Henfield (Sussex)
Salmond
Giuseppe si rivela ai fratelli 40
Giuseppe venduto a Putifarre 41
Il supplizio del fornaio 42

Leningrado
Ermitage
Sacra Famiglia con s. Giovannino 72

Lewisburg (Pennsylvania)
Bucknell University
Apollo e Cupido 4

Londra
National Gallery
Giuseppe in Egitto 43
Giuseppe si rivela ai fratelli 40 (prestito)
Giuseppe venduto a Putifarre 41 (prestito)
Madonna con il Bambino e s. Giovannino 134
Il supplizio del fornaio 42 (prestito)

Lucca
Museo Nazionale di Villa Guinigi
Ritratto di giovanetto 91

Milano
Museo del Castello Sforzesco
Ritratto di giovanetto 121

Monaco
Alte Pinakothek
Sacra Famiglia 129

New York
Chauncey Stillman
Alabardiere 106

Parigi
Musée National du Louvre
Madonna con il Bambino, s. Anna e altri santi 105
Ritratto di gioielliere 39

Poggio a Caiano (Firenze)
Villa Medicea
Vertunno e Pomona 67

Roma
Palazzo del Quirinale
Beniamino alla corte del faraone 130
Giuseppe e la moglie di Putifarre 132
Il lamento di Giacobbe 131

Sansepolcro (Arezzo)
Pinacoteca Comunale
S. Quintino 38

Torino
Museo Civico
S. Michele Arcangelo e il demonio 135

Varramista (Empoli)
S.A.P.I.
Madonna con il Bambino e s. Giovannino 56

Venezia
Cini
Ritratto di due amici 74

Washington
National Gallery of Art
Niccolò Ardinghelli 126

Ubicazione ignota
Autoritratto 114
Cristo di Passione 136
Madonna con il Bambino 37, 137
Madonna con il Bambino e s. Giovannino 138
'Noli me tangere' 115
Ritratto di gentiluomo con libro 125
Ritratto di giovane 73
Ritratto di giovane suonatore di liuto 107
Ritratto di giovanetto 120
S. Gerolamo penitente 70

Opere perdute
Annunciazione 1
Arme con due putti 23
Arme del cardinale Giovanni Salviati 54
Arme di papa Leone X 7
Carlo Neroni 113
Compianto su Cristo morto 55
Cristo morto e due profeti 2
Cristo pellegrino 22
Decorazione del coro di S. Lorenzo 133
Decorazione della loggia di Careggi 122
Decorazione della loggia di Castello 124
Decorazione di un salone a Poggio a Caiano 118
Francesca di Ludovico Capponi 100
Ippolito de' Medici 92
Madonna con il Bambino 76
Natività 84
Pietà 75
Pomona 109
Resurrezione di Lazzaro 110
Ritratto di converso certosino 83
S. Agostino 69
S. Cecilia 59
'Storie' sacre e stemmi 65

Indice del volume

Scritti del Pontormo . . . . *pag.* 5

LUCIANO BERTI

Itinerario di un'avventura critica 11
Il colore nell'arte del Pontormo 15
Elenco delle tavole 16
Analisi dell'opera pittorica del Pontormo 81
Convenzioni e abbreviazioni 82
Bibliografia essenziale 82
Documentazione sull'uomo e l'artista 83
Catalogo delle opere 85
Altre opere attribuite 109
Repertori : indice dei titoli e dei temi 110
indice topografico 111

Fonti fotografiche

Illustrazioni a colori: Alinari, Firenze; Blauel, Monaco; Ermitage, Leningrado; National Gallery of Art, Washington; Nimatallah, Milano; Nölter, Hannover; Remy, Digione; Scala, Antella; Stillman, New York; Witty, Sunbury-on-Thames; Wyatt, Filadelfia. Illustrazioni in bianco e nero: Archivio Rizzoli, Milano; National Gallery, Londra; National Gallery of Ireland, Dublino; Pineider, Firenze; Saporetti, Milano; Scala, Antella; Soprintendenza alle Gallerie, Firenze.

Direttore responsabile: ETTORE CAMESASCA

Registrazione presso il Tribunale di Milano, n. 84 del 28.2.1966.
Spedizione in abbonamento postale a tariffa ridotta editoriale:
autorizzazione n. 51804 del 30.7.1946 della Direzione PP.TT. di Milano.

Editore stampatore: RIZZOLI EDITORE S.P.A.
MILANO, VIA CIVITAVECCHIA 102 - PRINTED IN ITALY